◆ 目錄 ◆

序 Preface

西藏得天獨厚的雪域風光，蘊含神秘迷人的文化特質，欣賞藏傳文化的悠久歷史與融入大自然的人文景緻，有如閱讀一篇博大精深的美麗詩篇！

文化部蒙藏文化館是全臺唯一專業典藏蒙藏文物及展示之公立場館，原為七世章嘉大師（另有一種算法為十九世）來臺弘法駐錫地，大師於 1957 年 3 月 4 日圓寂後遺留之文物，本館妥善保存並展示於三樓章嘉大師紀念堂，包含上輩所遺全世界珍貴難得的宗喀巴大師（tsong kha pa, 1357-1419）牙舍利法寶等，殊勝難得。又因緣巧合宗喀巴與章嘉這二位藏傳佛教大師，被認為是智慧第一的文殊菩薩化身，深受信徒尊敬。值此後疫情時期，為撫慰人心，並注入社會的鼓舞力量，本部特別在歲末精心規劃從本（2022）年 12 月 17 日至明（2023）年 3 月 12 日舉辦「智慧之神－相遇在燃燈節」特展，展品包含蒙藏文化中心典藏及私人收藏家借展共計 128 件，展期橫跨二位大師圓寂紀念日，期間接續迎來 12 月 18 日（藏曆 10 月 25 日）紀念宗喀巴大師圓寂的燃燈節、2023 年 1 月 21 日臺灣的農曆除夕及藏曆新年、3 月 4 日章嘉大師圓寂紀念日及 3 月 7 日藏人的酥油花燈節等一連串重要節慶。因此，本次展覽內容以燃燈節為主軸，其他展品含括大家熟悉的藏傳佛像、唐卡、各式宗教器物、新年節慶及藏人生活習俗，美麗典雅的礦物彩藏式家具等器物，帶領觀眾參與感染藏族傳統節慶的歡樂氣氛，讓觀眾的身心靈獲得撫慰及鼓舞，更期待進而認識藏傳文化的多元內涵與藝術造詣。

藏傳佛教分為四大教派，其中宗喀巴是格魯派的創始人，章嘉大師亦屬於格魯派。「燃燈節」是為了紀念宗喀巴圓寂的紀念節日，藏語名為「甘丹安卻」（dga' ldan lnga mchod），漢語譯為「甘丹五供」，每年在藏曆十月二十五日舉行節慶。「燃燈節」起源於宗喀巴所創立的甘丹寺僧侶為紀念大師圓寂發願燃燈供養，其他寺院及蒙藏地區的家家戶戶也在節日期間，跟隨著點酥油燈紀念，加上格魯派信眾人數最多，寺院林立，影響力也最大，漸漸成為蒙藏地區重要的宗教與紀念節日。

又本於藏傳佛教慈悲與智慧的精神，及配合轉經輪祈福的習俗，這次展覽安排以順時針動線規劃，除了讓觀眾認識燃燈節的由來，踏入文化館映入眼簾的藏式廟門迎接觀眾的來到，進入展場左右兩側分別布置科技互動的點燈活動與代表吉祥的八座大型轉經輪，期待年節帶給觀眾「心想事成」的最佳祝福。值得一提是藏族家庭新年佛龕供桌、切瑪盒、新年食物等情景布置，藏族生活處處可見的八吉祥圖、轉經輪、唐卡、嘎烏、朵瑪、擦擦像、油燈碗、供杯、茶壺、茶碗、八吉祥掛毯、藏式門簾、八吉祥掛飾、犛牛尾巴、西藏跳神面具、民間樂器及秀遊戲 (藏族傳統遊戲) 等，盡可能完整呈現藏族新年生活與節慶歡樂的喜悅！

本部長期致力於臺灣多元文化的均衡發展與蒙藏文化的保存與弘揚，期待透過莊嚴、新奇與熱鬧有趣的展覽內容及寓教於樂的教育活動，帶領觀眾進入前所未有的展場設計，認識藏人的信仰、文化、藝術與生活，體會多元族群的豐富文化底蘊，對蒙藏文化留下深刻美好的印象。

文化部 部長

The Mongolian and Tibetan Gallery, Ministry of Culture, is the sole professional public museum in Taiwan that collects and exhibits the Mongolian and Tibetan artifacts. It used to be the former residence of the 7th (or 19th) Changkya Khutukhtu to propagate Buddhism in Taiwan. The artifacts left by the Master upon his parinirvana on March 4, 1957, including the rare Buddhist artifacts like the precious tooth śarīra of Tsongkhapa (1357-1419) left by his predecessors, are preserved by the Gallery and showcased in the Changkya Khutukhtu Memorial Hall on the third floor. Coincidentally, both Tibetan Buddhist Master Tsongkhapa and Master Changkya are deemed as the incarnation of Mañjuśrī with supreme wisdom and thus revered by the followers. In the post-COVID era, to provide solace for souls and usher in the inspiring force for the society, the Ministry of Culture especially curated *DEITY OF WISDOM-Encountering in the Festival of Lighting*, a special exhibition open from December 17 of this year (2022) to March 12 of the next (2023). There are 128 exhibits on display in total, ranging from the collection of the Mongolian and Tibetan Cultural Center to those loaned from private collectors. The exhibition period encompasses the commemoration days of both masters' parinirvana. In the duration, there will be a series of celebrations, including the Festival of Lighting (Ganden Ngamchö) to commemorate Master Tsongkhapa's parinirvana on December 18 (25th of the 10th month in the Tibetan Calendar), New Year's Eve in the Lunar Calendar in Taiwan and Losar (the Tibetan New Year) on January 21, 2023, the Day of Parinirvana of Master Changkya on March 4, and the Tibetan Butter Lamp Festival on March 7. Hence, the content of this exhibition centers around the Festival of Lighting, along with other exhibits such as the famous Tibetan Buddhist statues, thangka, various religious instruments, new year celebration, and Tibetan customs as well as articles like the gorgeous Tibetan furniture with mineral pigments. Visitors shall be guided into the festive vibe of the traditional Tibetan celebrations. They shall gain solace and inspirations, body and soul alike, and thus look forward to learning more about the diversified contents of the Tibetan culture and its artistic achievements.

The Tibetan Buddhism falls into four schools. Tsongkhapa was the founder of the Gelug School, to which Master Changkya also belonged. "The Festival of Lighting" is a day in commemoration of Tsongkhapa's parinirvana, which is referred to as "dga' ldan lnga mchod" in Tibetan and is celebrated on the 25th of the 10th month in the Tibetan Calendar. "The Festival of Lighting" started out with the monks of Ganden Monastery lighting the lamps in commemoration of the Master's parinirvana. Other monasteries and households in Mongolia and Tibet followed suit to light butter lamps for memory. Also, as the Gelug School has the largest group of followers with numerous monasteries and the greatest influence, it gradually became an important religious and commemorative day in the region of Mongolia and Tibet.

Meanwhile, upholding the spirit of compassion and wisdom of the Tibetan Buddhism and in line with the practice of prayer wheel spinning for blessings, the exhibition is designed with a clockwise tour flow. Aside from the introduction to the origin of the Festival of Lighting, the Tibetan-styled monastery gate visitors see upon entering the Gallery is a to-welcome-the-visitors. On either side of the exhibition, there are art installation of interactive technology for lamp lighting activity and eight large prayer wheels that symbolize auspiciousness in hopes of bestowing the best wishes of "wishes come true" upon the visitors during the new year. On top of that, there are scenes of new year celebration with props like the Buddhist altar, Chemar Box, and New Year dishes in the Tibetan families. There are also images of the Eight Auspicious Symbols, prayer wheels, thangka, Gau, Torma, Tsatsa, butter lamp cups, offering cups, tea pot, tea bowls, tapestries of the Eight Auspicious Symbols, Tibetan curtains, ornaments of the Eight Auspicious Symbols, yak tails, masks of Tibetan Cham Dance, folk musical instruments, Sho game (Tibetan traditional game) and so on commonly seen in the life of Tibetans in order to present the life during the Tibetan's new year celebration and the euphoria in festivities as much as possible!

The Ministry has been committed to the balanced development of diverse cultures in Taiwan as well as the preservation and promotion of the Mongolian and Tibetan cultures. With the exhibition content of solemnity, novelty, and jubilee, along with educational activities for learning by playing, visitors shall enter the unprecedented exhibition designed for them to learn about the religion, culture, art, and life of Tibetans, appreciate the rich cultural heritage of diverse groups, and leave with a wonderful impression of the Mongolian and Tibetan cultures profoundly.

Minister of Culture

◆ 西藏文化中的燃燈節 ◆

劉國威｜國立故宮博物院書畫文獻處研究員兼科長

綜觀各文化，民族節日多淵源於古老的宗教內涵，西藏文化中民族節日的形成也同樣經歷漫長的形成過程。在民族宗教的發展中，一般認為遠古時期的先民由於對自然災害的產生無法解釋與預測，如冰雹、水患、地震、火災等，在面對瘟疫疾病等天災人禍亦無能為力，因此認為從自然界乃至人類社會的背後領域似乎都有超凡的神明或精怪驅使；為了世族的生存，人們逐漸向此等未知力量祈請，以求得神靈庇佑，因此產生各類祭祀活動。

在初期，由於社會群體的限制，彼時的祭祀雖是集體進行，但規模小，且時間不定。隨著社會發展，生活水準的提升，使得舉辦大規模的祭祀活動有了物質保證。同時，隨著人們經過長期的實際活動，逐漸熟悉自然環境與季節變化，認識動植物的生長規律與環境氣候的關係，進而掌握天文曆法知識，使得祭祀活動的固定舉辦完備了條件。依此而行，原始的宗教祭祀逐漸從小規模與時間不定向大規模和時間相對固定的方向發展，最後成為在固定季節或時節從事大型集體祭祀活動，從而相沿成習，形成民族的節日。

累積至今，藏族的節日活動累積藏人文化的歷史軌跡，其內容繁複，雖難以一一詳述，但也是有規可循，可大致分以下四類型：

一、生產

對傳統藏族社會而言，生產活動主要指農業和牧業兩方面。藏人在生產過程中，出於對季節變化、自然認知、生產原料的使用、生產流程的轉換和相關產品的獲取等方面進行的各種活動，而後逐漸演變為節日。以農業活動為例，生活在雅魯藏布江流域、長江上游和黃河上游流域的藏族，自古從事農業生產，在長期的農業生產中，透過所積累的豐富經驗，掌握了節氣曆法。藏人根據農事活動的過程而進行各種預祝豐收的節慶活動，其中最主要的祭祀對象有：地神、山神、天神和河神（或湖神）；因為這些自然界神祇都與農業生產有密切關係：地神管農田、山神管冰雹、天神管氣象、河神管水源；這些農業祭祀活動，進一步發展演變為農業節日。如藏地農業區一般於七月所舉辦的望果節（'ong skor）：望果節在拉薩河兩岸的農區非常盛行，當地農民根據氣候地勢及莊稼成熟的情況決定當年節日的時間。一般望果節要過三、四天，節日當天人們身穿盛裝，每家派一人代表，在扛舉佛像與經幡的喇嘛帶領下，每人身背經函手拿經幡，列隊繞行即將收割的田地，一邊繞境一邊念誦經文，祈請保佑今年收成，轉完莊稼地後也舉行賽馬、射箭、篝火晚會等系列活動，盡情玩樂三、四天後，即開始秋收。同樣的，牧區的藏人在游牧生活中也形成具游牧文化特色的節日。

二、娛樂

娛樂活動是指群眾性的藝文、體育、遊樂、旅遊活動，娛樂是人類不可缺少的生活需要，也是節日活動的主要目的之一，若無娛樂何謂節日。日常生活充滿喜怒哀樂，而喜樂要有表現、發揮和共享的活動與場合，此等之群

體活動就是娛樂性節日的來源。比方像是拉薩地區藏曆五月份的「逛林卡節」，以家族為單位到戶外搭帳熬茶野餐，盡興歌舞互娛。

三、宗教

在藏族的傳統節日中，以宗教祭祀為主要內容的節日實屬最多。佛教信仰是西藏文化的主體，宗教的影響滲透到藏族社會的各個層面，影響和制約著藏族社會的物質生活與思想模式，促使宗教與節日文化間，產生千絲萬縷的聯繫。富傳統色彩的藏族節日往往都含藏濃厚的宗教色彩，就其起源與演變來看，無論是本土的本教（bon）還是外來的佛教，都在其中發揮巨大作用，因而宗教節日在藏族節日中佔頗大比例。本教將自然崇拜轉向人格化天神的崇拜，本教在以「上祀天神、下鎮鬼怪、中興人宅」為主的宗教信仰中形成許多宗教活動，如：避災、逐惡、延壽、豐收、頌神等儀式。本教是相當講究儀式的宗教，在佛教傳入藏區前，藏族社會上至王公貴族，下至部族百姓，重要活動首先須邀請本教法師進行儀式，由於有些儀式活動每年都要進行，因此成為固定的週期性宗教活動，慢慢演變為傳統節日。在佛教傳入藏區後，逐漸與藏族本土文化相融合而形成藏傳佛教；隨著藏傳佛教的發展，以不同形式的「政教合一」體制先後影響，形成藏族社會幾乎全民信佛的現況。佛教為藏族節日文化注入新血，因此出現大量佛教節日；尤其隨著各教派的形成與發展，出現體制化的寺院法會，往往與宗教節日相結合，使得藏族節日文化趨於成熟。

四、紀念

這是指對重要歷史事件或歷史人物的紀念活動。藏族社會處在濃厚的宗教氛圍中，因此不僅佛、菩薩、護法有重要宗教節日，著名高僧大德的重要事蹟也成為藏族人民的重要紀念活動。一般而言，藏人對世俗社會的重要歷史事件和人物較少進行紀念活動，藏族的紀念活動幾乎都與宗教密切關連，或者說紀念節日都源於對宗教事件或宗教人物的紀念活動。

本展及本文所介紹的藏族「燃燈節」，可說是兼具宗教與紀念兩種性質的傳統節日。此節日名是漢語通稱，非由藏語直譯而來。「燃燈節」一詞在語義上容易理解，即指在節日期間，家家戶戶點燃油燈作為供養；燈供本是佛教儀式中脈絡長久的傳統，敦煌文獻中就有記載，在唐代佛教習俗中已有類似的燃燈供佛節慶活動。

但此「燃燈節」非指一般的燃燈供佛，它在藏語中名為「甘丹安卻」(dga' ldan lnga mchod)，漢語意譯為「甘丹五供」，這是為了紀念藏傳佛教格魯派創始人宗喀巴 (tsong kha pa, 1357-1419) 圓寂所形成的紀念節日，於每年藏曆十月二十五日舉行。「甘丹寺」(dga' ldan dgon pa) 是宗喀巴於 1409 年所建寺院，被視為格魯派的最初母寺，「甘丹」一名也是彌勒菩薩所居「兜率」(Tuṣita, 意為「具喜」)天界的藏語名稱，傳記記載宗喀巴發願往生兜率淨土。「五供」原意指「於（二十）五日所作供養」，「五」是十月二十五日的簡稱；但也引申為「獻上五類供養」，指「塗香、鮮花、

燒香、飲食、燈明」。傳統上在此日，凡屬格魯派的各大小寺院、各村寨屬民，都要在寺院或家中內外的經堂佛龕點燃酥油燈作為燈供，晝夜不斷，以為紀念。

原本在藏傳佛教各教派中也都有舉辦紀念其宗派祖師圓寂日的類似法會，形成該教派的傳統。格魯派作為 17 世紀以來蒙藏地區的掌政教派，不僅影響最大、寺院最多、信仰人數也最多，因此其創派祖師的宗教紀念節日自然也最具影響，不僅在蒙藏地區普遍舉行是等活動，由於清代滿州貴族亦支持藏傳佛教格魯派，清廷於農曆十月二十五日亦舉行此等紀念活動，延請京畿地區喇嘛 108 名在永安寺各殿誦經，清代高士奇（1645-1703）《金鰲退食筆記》載：「每歲十月二十五日，自山下燃燈至塔頂，燈光羅列，恍如星光。諸喇嘛執經梵唄，吹大法螺，餘者左持有柄圓鼓，右執彎槌，齊擊之。緩急疏密，各有節奏，更餘方休，以祈福也。」北京城內的黃教寺院也沿襲藏地習俗，在藏曆十月二十五日清晨，將寺內各殿堂清掃乾淨，佛像前置換清水、鮮花、果品等供物；在寺院殿堂、僧舍、佛塔等建築的平頂和四周，依序擺放酥油燈；待夜幕降臨，點燃萬盞油燈，彷如星光羅列，燦爛壯觀。

以近年位於西安之廣仁寺舉辦「燃燈節」活動為例，藉此一瞥藏傳佛教寺院如何紀念此節日：廣仁寺是康熙 42 年（1703 年）康熙皇帝巡視西陲時御敕所建，於 1705 年建成，該寺在清代主要作為西藏、青海、甘肅等地藏僧進京途中的暫居掛單處，是陝西地區目前唯一的藏傳佛寺。隸屬格魯派的廣仁寺，其燃燈節活動為期三天，從十月二十三日至二十五日，以二十五日最為隆重。二十三日上午誦唱《皈依頌》(skyabs 'gro)、《藥師經》(sman bla' i bde bshegs brgyad)；下午修誦《普明大日如來》(kun rig)。

二十四日上午依次誦唱《皈依頌》、《五怙主儀軌》(mgon chos sna lnga)；下午修誦《普明大日如來》。二十五日這一天所誦經文比平日多，其內容為：《宗喀巴贊》（rje tsong kha pa la bstod pa）、《懺儀》(ltung bshags)、《兜率百尊—上師瑜伽》(dga' ldan lha brgya ma)、《宗喀巴傳記偈》(dpal ldan sa gsum ma)、《三世經》(skabs gsum pa)、《普賢行願品》（bzang spyod smon lam）、《彌勒行願》(byams pa'i smon lam)、《入菩提行願文》(spyod 'jug smon lam)、《初中後善德願文》(thog mtha' bar gyi smon lam)、《格魯聖教增長願文》（bstan rgyas smon lam）等。

禮成後，僧眾口誦六字大明咒繞寺，參加儀式的信眾排隊跟隨僧人之後，寺院志工發香給參與者，眾人持香繞寺。寺內僅空出轉經步道，其餘空地及寺外廣場皆陳設酥油燈，排列拼成各式吉祥圖案。夜幕降臨時，酥油燈全都點亮，配合宛轉悠揚的唱誦。僧人轉寺三周後禮畢，遊人信眾或駐足賞燈，或繼續轉寺，不斷有遊客加入轉寺隊伍。人群、唱頌、燈光、香火交織寺內外。約至晚上十一點，人群方漸散去。

　　「燃燈節」在藏區各格魯派寺院的進行模式大同小異，有的一天，有的三天（也有寺院是從十月二十四日進行到二十六日）。拉薩地區流傳有關舉辦三天的說法，不僅是紀念宗喀巴大師，而是包括他的兩大弟子，所謂的「父子三尊」（rje yab sras gsum）－色拉寺於二十四日紀念賈曹傑（rgyal tshab dar ma rin chen, 1364-1431）、甘丹寺於二十五日紀念宗喀巴、哲蚌寺於二十六日紀念克主杰（mkhas grub dge legs dpal bzang, 1385-1438）。

　　宗喀巴所創建的甘丹寺在 1419 年宗喀巴大師圓寂後，寺內僧人為了悼念上師圓寂而在寺內舉辦為數驚人的「燃燈供養」；隨格魯派的發展，其他寺院紛紛仿效甘丹寺的作法，供酥油燈以為悼念。早期藏區交通不便，資訊傳遞困難，各地寺院的舉辦「燃燈節」的具體日期稍異。後來由於格魯派成為藏傳佛教中勢力最大的宗派，其影響擴及整個青藏高原，甚至各蒙古文化地區，其他教派有些寺院或信眾也會過「燃燈節」，因此「燃燈節」成為幾乎覆蓋整個蒙藏地區的傳統宗教節日。

◆從燃燈節談宗喀巴與章嘉◆

海中雄｜中華民國蒙古文化協會理事長

1419 年藏曆 10 月 25 日宗喀巴圓寂之後……

　　每年此時，圍繞在離天堂最近的西藏拉薩布達拉宮，各大寺院和俗家屋頂窗沿都會妝點起以萬為計的酥油燈，閃爍的燈火勝過夜空的星星，不夜之城，盪漾著不絕的誦經聲。在寺院廣場、街角的煨桑爐火，隨著陣陣白煙騰飛，使得酥油燈火更顯魅影。這靜美殊勝的夜晚，便是藏傳佛教最尊貴、為紀念宗喀巴大師圓寂而舉行的「燃燈節」。

宗喀巴與釋迦益西的師徒情緣

　　宗喀巴，1357 年出生於「宗喀」地方（即現在青海省塔爾寺所在地），出生時即有諸種異兆。3 歲時，從第四世大寶法王受近事戒（居士戒）。7 歲時，拜頓珠仁欽學法，而後受沙彌戒。16 歲時，受頓珠仁欽資助赴西藏學法。其後 30 年，宗喀巴努力聽受廣大教法，以及向上師盡力祈禱而得成就。46 歲，完成了《菩提道次第廣論》，內容是顯教的教法；數年後又完成密教的《密宗道次第廣論》。在其完成重要的佛法論著，成為創立格魯派的理論基礎後，又於 1409 年籌建甘丹寺。

　　所謂「格魯」，是「善規」的意思，它強調「生活講戒律、修行重道次」，因其尖頂通人冠（僧帽）是黃色的，因而被稱為「黃教」。從 15 世紀開始，格魯派成了藏傳佛教的主流教派，除了繼承宗喀巴衣缽的大弟子賈曹傑外，另一位弟子克主杰為「班禪」世系之始，最小的弟子根敦珠巴則開啟了「達賴」世系。而另一位大弟子，釋迦益西（後被追認為第十

世「章嘉」），則佐興黃教建立了色拉寺。

　　也就是說，藏傳佛教中有三大重要轉世傳承系統，均出自宗喀巴的門下。不僅如此，拉薩著名大寺，如甘丹寺、哲蚌寺、色拉寺，以及後藏日喀則的札什倫布寺，皆為宗喀巴師徒所創建。他們的影響力無遠弗屆，直至 21 世紀更推廣至全世界，在臺灣亦有廣大信眾。

　　因為宗喀巴在藏區名聲遠播、地位崇隆，引起了明成祖的注意，曾於永樂六年（1408 年）遣使至拉薩，徵召其進京傳法。

　　當時宗喀巴本不欲見來使，但後經使臣請託「闡化王」扎巴堅贊（西藏八王之一）說情而在色拉曲頂（今色拉寺所在地）和使臣們相見。宗喀巴將備妥給永樂皇帝的禮物及一封信辭謝書函交給使臣後，隨即避居惹喀札岩洞閉關修行。

　　永樂皇帝為了完成其以宗教懷柔政策來管理西藏地方，達到「眾封多建」的目的，而於 1414 年，再度派遣內臣使者候顯等四人赴拉薩迎請宗喀巴進京，但宗喀巴仍藉詞不適遠行而婉拒，同時薦派弟子釋迦益西（1352~1435）為代表晉京。釋迦益西是其司膳、隨侍，拜宗喀巴為根本上師，成為其八大弟子之一，後來被追認為第十世章嘉呼圖克圖，為內蒙古地區的宗教領袖。

　　附帶一提，所謂「眾封多建」，主要就是「西藏八王」，是明朝在西藏分封的三大法王（大寶法王、大乘法王、大慈法王），和五大地方之王（闡化王、護教王、贊善王、輔教王、闡教王）的合稱。

釋迦益西在京期間，永樂皇帝以隆重禮節相待及供養。他為永樂皇帝作長壽佛和勝樂金剛灌頂，同時也治療好了皇帝的重病，被皇帝敕封為「大國師」，賜給印誥。在此期間，釋迦益西還到很多漢族地區及蒙古地方傳播藏傳佛教，在北京建了法源寺，更在山西五臺山修建了6座格魯派廟宇。

1416年，釋迦益西向永樂皇帝辭歸允准，並獲頒大量的賞賜。當他回到西藏後，首先便去甘丹寺拜見了上師宗喀巴，獻上永樂皇帝所賜的各種珍貴禮物。

隨後，釋迦益西依宗喀巴的指示，於1418年在拉薩北郊烏孜山山腰處，也就是宗喀巴修行的惹喀扎岩洞旁，開始興建色拉寺。次年建成，秋天之時，釋迦益西請宗喀巴到色拉寺做長淨，宗喀巴指示釋迦益西在色拉寺建立講修密法的院寺，負起傳法建寺的弘教重任。

燃千盞酥油燈懷念宗喀巴

1419年，藏曆10月25日，宗喀巴大師圓寂。翌年的忌日，甘丹寺依照傳統儀軌，舉行了盛大追思紀念的修供。同一時間，釋迦益西也接受拉薩地區行政長官柳梧・朗嘎桑波叔侄之邀，前往色拉寺北山的惹喀扎宗喀巴大師修行洞前，籌辦盛大的追思活動。他為師尊舉行祭祀法事誦經祈禱，更點燃了千盞酥油燈供養。整片山林燈海閃爍，殊勝壯觀，令信眾更生歡喜讚嘆之心，自此便形成了每年在拉薩及西藏各區，僧侶及俗眾為紀念宗喀巴大師而點燃千千萬萬盞酥油燈供養的習俗，稱之為「甘丹安卻」（五供節）—燃燈節。

燃燈節初期，一世班禪克主杰在日喀則，因當地沒有那麼多燈碗和酥油，於是便將脂肪油注入牛蹄殼做成酥油燈。因藏曆10月為西藏地區牧民的秋宰季節，牛蹄殼取得方便，從那時開始，在藏族的牧區人家，皆會做「牛蹄燈」供養。另外，從牛蹄燈又衍生出一項「善舉」，也就是為被宰殺的牲畜誦經超渡，讓牠們來世免於投生為「三惡趣」（地獄、畜生、餓鬼）。當然，相對而言，僧俗大眾在燃燈節誦經祈福還有一個重點是，祈願來世投生為「三善趣」（天神、阿修羅、人）。

另外，在以康巴族為主的康區藏族，他們的燃燈節也另有特色。或許因為早期當地藏人物質條件匱乏，無法大量以酥油燈供養，所以他們以當地方便取得的「元根」（大頭菜），將圓形的根部剜空，在裡面點燃一根蠟燭，成為「元根燈」來供養，如此也就創造了饒有趣味的「元根燈會」。時至今日，康區的燃燈節已將600年來的「元根燈」，以歷史文化資產的形式保存下來，成為該地區獨樹一格的藏傳佛教節慶文化。

目前藏區過燃燈節其實是連續2天，這又是為什麼呢？或許可視之為宗喀巴大師與釋迦益西師徒的佛緣相繫。

1435年藏曆10月24日、亦即宗喀巴忌辰的前一日，當時已受封為「大慈法王」的釋迦益西圓寂。爾後，西藏僧俗群眾為了追念法王，在其忌日當晚都要燃點酥油燈進行供養，

稱為「甘丹協曲」（「四供節」），尤以色拉寺最為隆重。不過整體而言，「甘丹協曲」多以格魯派寺院的僧眾為主，故也稱為燃燈節的前奏曲，當然其規模就無法與次日供奉宗喀巴的盛會相比了。

六百年之後，
臺北再次點燃「甘丹安卻」—燃燈節

　　2021 年春末的一個午後，在驚呼聲中，宗喀巴牙舍利在臺北青田街章嘉大師紀念館的佛龕「德瑪」（掘藏）過程中聖靈再現。2022 年初冬，文化部蒙藏文化中心舉辦「智慧之神 — 相遇在燃燈節」活動，更讓人感受到佛緣跨越時空的牽引之力。

　　600 年前，釋迦益西（十世章嘉呼圖克圖）在色拉寺旁的宗喀巴修行洞前，為追念師尊宗喀巴而點燃千盞酥油燈，燈火延綿不熄，至今依舊溫暖藏人無懼世間的風寒。今日，在臺北青田街章嘉故居「圓滿摩尼寶洲」，再次點燃了紀念宗喀巴的「甘丹安卻」—燃燈節。同時此次活動日程不僅包含紀念釋迦益西的「甘丹協曲」，還延伸至追思 1957 年在臺圓寂的章嘉大師紀念日。

　　宗喀巴與章嘉師徒之間，600 年的情緣，再次相遇在臺北青田街的燃燈節，果然佛緣奇妙，再現神之智慧。

◆初探藏傳佛教造像藝術◆

洪三雄｜雙清文教基金會董事長

壹、前言

　　藏傳佛教是雪域青藏高原孕育出來的獨特佛教，博大精深、豐富迷人。藏傳佛教藝術則是伴隨藏傳佛教的發展與演變，而形成源遠流長、風格獨具的宗教藝術體系。

　　佛教發源於西元前 5 世紀的古印度，與基督教、伊斯蘭教併稱世界三大宗教，始創者為釋迦牟尼（Sakyamuni）。佛陀涅槃 100 多年之後，佛教分裂而歷經一段「部派佛教」時期，直到孔雀王朝（西元前 322 - 184）開始分別向南、北傳播發展：

　　其一、南傳佛教：經由南向傳播，盛行於斯里蘭卡、緬甸、泰國、柬埔寨、寮國等東南亞地區，後又傳入中國雲南、廣西等地。古有「小乘佛教」之稱，現已改稱「上座部佛教」。

　　其二、北傳佛教：分兩路發展。「陸路」經印度西北、喀什米爾，由新疆沿古絲綢之路進入中國，時約西元 1 世紀東漢時期；接著又傳入朝鮮、日本。「海路」則直接由廣州登陸往中國北方傳播。北傳佛教又稱「顯教」，也稱「大乘佛教」或「大眾部佛教」。

　　佛教傳入西藏，約在西元 7 世紀初松贊干布（圖 1）在位的吐蕃王朝。藏傳佛教的起源與發展，從此拉開序幕，整個高原無不瀰漫著濃郁的宗教色彩。藏傳佛教藝術乃隨之成為當地宗教的、民族的、生活的、思想的、文化的，乃至政治的產物，它和世界各地宗教藝術迥然不同的特色就在於此。

　　藏傳佛教本質上屬於北傳（大乘）佛教，但因融合了印、苯及密教教義而自成顯、密兼

圖 1. 松贊干布 / 16th C. / 臺北雙清館藏

具的獨特傳承，故又稱「密教」，屬於藏語系統，與漢（北）傳佛教、南傳佛教並稱佛教三大體系。

　　佛教是相當依賴藝術形式進行宣教的宗教。佛教傳入西藏後，在融合不同源流、地域和派別而形成藏傳佛教以來的1400多年歷史中，藏傳佛教藝術自然也隨之不斷發展。在西藏本土傳統藝術的基礎上，相繼承受、融匯了印度、中亞、尼泊爾、和闐以及中原各種不同風格的佛教藝術精華，而形塑成精彩豐富、獨樹一格的宗教藝術。

貳、藏傳「佛像」造像藝術的演變

　　藏傳佛像是藏傳佛教藝術的重要一環。藏傳佛像造像藝術的演變，有基於縱向時序的時

11

圖 2. 青藏高原及鄰近地圖

代關聯性，也有依附橫向的地域連動（圖2）。茲簡述之：

（一）吐蕃時期（前弘期 西元 7-9 世紀）

此時的西藏佛像藝術，受到鄰近的印度、斯瓦特、喀什米爾、尼泊爾、中國唐朝及和闐各方的影響很大，呈現兼容並蓄的風格。有些佛像直接從域外輸入，保持著各該來源地的藝術原貌；有些則是這些周邊國家的藝術家進駐吐蕃創作，多帶有所屬國家的品味；也有藏族創作者仿自域外佛像的風貌自製以成者。

（二）黑暗時期（西元 840 - 978）

西元 840 年，吐蕃王朝末代贊普朗達瑪（799 - 842）禁止佛教並大肆滅佛，他於 842

年遇刺亡後，吐蕃王朝崩潰征戰烽起；佛寺被毀、佛像四散。藏傳佛教在此 100 多年間陷入黑暗時期，其宗教藝術也因而摧毀殆盡。

（三）後弘期（10 世紀末 - 13 世紀初）

此乃藏傳佛教藝術的重建期，也是藏族本土傳統藝術與域外佛像藝術格調的交融結合時期，喀什米爾、帕拉、于闐、敦煌的特點都自然地溶入藏人的審美觀，相互吸收影響而形成新的風格。

簡言之，「藏西」（圖3）較具西北印度斯瓦特及喀什米爾風采。「藏中」（圖4）則受東北印度帕拉王朝及尼泊爾藝術影響，形成所謂「帕藏風格」與「尼藏風格」兩股獨特的造像

藝術主流;至於「藏東」(圖5)除稍具尼泊爾風格之外,更兼具于闐、敦煌等漢地的韻味。

(四)元朝時期(13 - 14 世紀)

後弘期是藏傳佛教藝術的「發展期」,元朝(1271 - 1368)應是一個「轉型期」,而明朝(1368 - 1644)則是一個「成熟期」。

元朝獨重薩迦派(花教),封其祖師為帝師,大力支持藏傳佛教的傳播與發展,不僅藏傳佛教及藝術遠傳至北京、江南等內地,漢地的文化美感也逐漸注入到雪域高原的造像藝術,形成漢、藏藝術融合一體的「漢藏風格」。

12 世紀末,伊斯蘭民族消滅了印度的佛教最後王朝(帕拉王朝,Pala)之後,僅餘尼

泊爾(Nepal)繼續保留佛教傳統,故而此時藏傳佛像的塑造自然形成以尼泊爾佛像藝術作為外來造像藝術的主流。

元朝的藏傳佛教造像大師,非阿尼哥(圖6)(Araniko,1244 - 1306)莫屬。他應成吉思汗之詔入宮,在中國待了 45 年。阿尼哥所擅長的造像風格,其實就是 12 世紀的尼泊爾造像風貌,亦即長期吸收印度帕拉風格之後所形成具有尼泊爾本土特色的藝術模式,西方學者喜以「尼(泊爾)帕(拉)風格」稱之。後人都以「西天梵相」(圖7)或「元宮廷藏式造像風格」稱之,可說是元朝藏傳佛教藝術型態與特色的具體代表。

圖 3. 無量壽佛 / 12th–13th C. / 藏西風格 / 臺北雙清館藏

圖 4. 不動金剛 / 13th C. / 藏中風格 / 臺北雙清館藏

圖 7. 文殊菩薩坐像 / 元大德九年(1305) / 北京故宮博物院藏

圖 8. 文殊菩薩坐像 / 明永樂 / 臺北雙清館藏

(五)明朝時期(14 - 17 世紀)

明朝宮廷造像,可說是建立在前朝藝術特色的基礎上,更進一步汲取漢地的自我審美理念、藝術表達方式和工藝呈現技巧,終於融匯成大家眼前所謂「永宣造像」的新藝術風貌。永樂、宣德兩朝的宮廷造像,正是明朝藏傳佛像藝術風格的代表,也稱之為「永宣宮廷造像」(圖 8)。

圖 5. 索南孜摩 / 16th C. / 藏東風格 / 洛杉磯美術館藏

圖 6. 立於北京妙應寺的阿尼哥塑像

永宣宮廷造像的主要特色，擇其要者，有：國字臉、慈祥可親的面容、繁縟講究的服飾、寫實自然的衣紋、雙層束腰蓮花座、在蓮花座面正前方由左至右順讀型式的六字刻款「大明永樂（宣德）年施」，而大小規格則多為 20 公分上下的高度。

（六）清朝（17 - 20 世紀）

康熙（圖 9）、雍正（圖 10）、乾隆（圖 11）三朝（1661 - 796）最為重視藏傳佛教及其藝術，乾隆時期藏佛造像的盛大規模可謂空前絕後。這前清三代的藏傳佛像造像，就是清

圖 9. 白度母 / 清康熙 / 北京故宮博物院藏

圖 10. 彌勒菩薩 / 清雍正 2017.12.19 北京保利〈稽首慈雲—重要佛教美術專場〉Lot 6016

圖 11. 四面大黑天 / 清乾隆 / 北京故宮博物院藏

圖 12. 綠度母 / 18ᵗʰ C. / 臺北雙清館藏

朝藏佛藝術的具體代表。

乾隆皇帝與內蒙古最高活佛三世章嘉（Janggya hotogtu）國師合編的《三百佛像集》，以及蒙古學者工布查布自藏文翻譯成漢文的《佛說造像量度經疏》、《造像量度經續補》等經典，促成藏傳佛教的造像有了嚴謹的具體規範，藏傳佛像遂逐漸走上了造型與表徵的制式化，不免呈現出外表刻板、內涵不足、工藝繁瑣的匠氣風格。

然而，清初在漠北蒙古興起令人耳目一新的「札納巴札爾」（Zanabazar）藏傳佛像藝術風格（圖 12）。這是仿古印度帕拉王朝時期及尼泊爾佛像藝術的遺風，加上漠北蒙古本土的寫實特色，創造出「札納巴札爾」外型亮麗、風姿獨特、造工精緻的藏佛另一工藝典型，也就是兼具尼、帕女子婀娜美姿及蒙古壯漢健碩體型的新造像藝術表現。此一風格主導了 17 - 18 世紀喀爾喀蒙古的藏傳造像藝術流向。

參、影響藏傳佛像的外國造像風格

在藏傳佛教藝術發展的橫向地域關聯上，藏傳佛像的造像藝術，基於地理位置及交通往來的關係，其所承受外國佛教造像風格的影響至深且鉅：

（一）斯瓦特風格（圖 13）

斯瓦特（Swat）在今巴基斯坦西北部、斯瓦特河谷地區，和喀什米爾都是印度通往中亞的重要通道，屬古犍陀羅（Gandhara），比鄰

圖13. 釋迦牟尼佛坐像／ 7ᵗʰ C.／臺北雙清館藏　圖14. 菩薩半身像／3ʳᵈ C.／臺北雙清館藏

印度西北及喀什米爾。其犍陀羅佛教藝術（圖14），是最早佛像藝術的誕生。

斯瓦特承襲犍陀羅佛教藝術工藝寫實、格調古樸的遺風，其特徵略有：

(1) 面貌、體態及衣著，均是希臘人的表徵；(2) 由方形台座和蓮花底座構成的座具，方座在上、蓮座在下；(3) 多以青銅（銅加錫，呈青灰色）為造像材料，喜以銀作為鑲飾眼、毫；(4) 整體鑄造、不作鎏金處理，外表顯得樸拙古意。

（二）喀什米爾風格（圖15）

喀什米爾（Kashimir）位居斯瓦特、西藏（阿里）和西北印度之間，是印度通往中亞的要道。基本上以貴霜王朝的犍陀羅和印度笈多王朝（Gupta Empire，319-550）藝術（圖16）為風格主流。其造像特點在於：

(1) 臉型長圓，眼瞼大開、瞳仁正中，雙目正視狀如魚眼；(2) 軀體渾厚古樸；(3) 坐具多為方形台座，一般有二三層，蓮花座在上；(4) 多以黃銅（銅加鋅而呈黃澄色）

製成，通常不鎏金；(5) 眼睛嵌銀、白毫及大腿衣裙上鑲嵌紅銅紋飾是其重要特徵。藏西古格王朝(10 世紀 -1635) 的藏佛造像直接模仿於此，而有所謂「古格銀眼」（圖17）的藝術表現方式。

 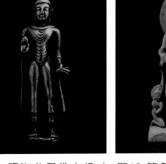

圖15. 釋迦牟尼佛立像／ 8ᵗʰ C.／臺北雙清館藏　圖16. 笈多佛立像／6ᵗʰ C.／臺北雙清館藏

圖17. 綠度母／12ᵗʰ C.／臺北雙清館藏　圖18. 金剛薩埵／11ᵗʰ C.／臺北雙清館藏

（三）帕拉風格（圖18）

帕拉王朝 (Pala Empire，8 - 12 世紀) 是西元 740 年在印度東北比哈爾 (Bihar) 及孟加拉 (Bangladesh) 地區興起的王國。

帕拉王朝建立在古印度笈多王朝 (Gupta Empire，319-550) 原有的土地上，故其佛教造像藝術以笈多美術做為基礎，同時兼具東北印

度民族本土審美觀及密教的深厚特色。其風格特徵，主要有：

(1) 造像面貌頗具印度人特點，眼瞼突顯、嘴唇豐厚、眼大有神；(2) 高度「密教化」之後，造型略趨複雜，體態婀娜、裝飾繁複，身體曲線流暢而有女性化傾向，「三折肢」（圖17、18）及豐胸的優美姿態，薄衣貼體崇尚肉感及人體活力，成其一大藝術特徵；(3) 台座講究，多為須彌座上承蓮花座形式；(4) 背光以舟形為基本造型，邊緣刻齒形火焰紋，頂部飾以小傘蓋及其座，頭光則呈菊花造型。

圖 19. 因陀羅 / 13th–14th C. / 臺北雙清館藏　　圖 20. 蓮花生大師 / 16th C. / 臺北雙清館藏

（四）尼泊爾風格（圖 19）

尼泊爾（Nepal）位居西藏西南、三面臨接印度，是喜馬拉雅山脈地區歷史悠久的文明古國。釋迦牟尼誕生地藍毗尼（Lumbini），事實上就在尼泊爾西南境內和印度交界處的小鎮。

尺尊公主於 634 年下嫁吐蕃王朝第 33 代贊普松贊干布，同時攜帶釋迦牟尼佛 8 歲等身像及彌勒菩薩、救度母等造像入藏，佛教及其藝術從此在西藏扎根滋長。

西元 4 至 5 世紀，印度佛教逐漸吸納印度教、婆羅門教的部分教義，混合發展出佛教密宗而在尼泊爾及印度廣為流傳，佛教造像的「密教化」自此大規模展開。藏傳佛教的開山祖師蓮花生（Padmasambhava）（圖 20）八世紀入藏前也在尼泊爾駐留 4 年。密教及密教化的佛像造像藝術，就在這個時候進入西藏成為宗教及其藝術的主流，也留下許多尼泊爾藝術風格的藏傳佛教藝術傑作。元朝時入仕中國的藏傳佛教藝術大師阿尼哥，便是其中的佼佼者。

尼泊爾造像的簡要基本特色在於：

(1) 以三面環山的加德滿都（Kathmandu）谷地的紐瓦爾人為主的造像工藝，具喜色面容、肩寬頭大、腰圓胸潤的特徵；(2) 以密教化為造像主流風格，形象考究、注重裝飾，手勢靈巧、姿態優美的女性特徵比較明顯；(3) 圓形蓮座，蓮片寬厚，蓮瓣上刻畫三道葉筋；(4) 以紅銅為主要製作材料，再鍍以黃金，呈現金光閃爍的亮麗外表。

肆、藏傳佛教造像的量度與儀軌

藏傳佛教藝術，無論石木雕刻、銅雕、泥塑，每一件都必須在嚴格的宗教教義和製作規範下，無我且謹慎地完成。造像者不容天馬行空任意創作，其有「妄造」乖謬的佛像者，「若我造像不似於佛，恐當令我獲無量罪」。

藏傳佛像之所以得有自成一格的莊嚴、美好、感人，其實正是自古以來造像者虔誠遵循型制量度（圖 21）經典的傳承有以致之。這

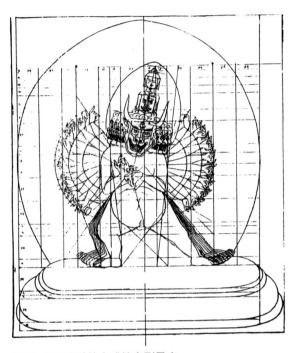

圖 21. 多面多臂的大威德金剛量度

一套古來延續不絕的藏傳佛教藝術經典理論，就是使佛學義理得以具體有效落實於佛像藝術的最重要依據，亦即俗世所謂的《三經一疏》，都收錄於《藏文大藏經・丹珠爾・經疏》部。

《三經一疏》指的是早期由藏族僧人，於 10 世紀後弘期開始翻譯成藏文的三部印度造像學理論經典，及後人所作註疏的總稱，內容規範了造像的基本尺度，是藏傳佛教造像藝術的主要理論基礎。其中包括：

「三經」：1.《佛說造像量度經》（又譯為《佛身影像相》）、2.《造像量度經》（又譯為《身影量像相》）和 3.《畫相》（又譯為《畫論》、《繪畫量度經》）；「一疏」：《佛說造像量度經疏》。

《佛說造像量度經疏》是一部對於《佛說造像量度經》的註疏和續補，不僅對於諸神、菩薩、

佛母、明王、護法等的量度多所著墨，於其手印、標識、姿勢、形相、色相等也有具體準據。藏佛造像之所以「妙聖莊嚴」，正如工布查布漢文《佛說造像量度經疏》所言：「具幾分之準量，則凝注幾分之神氣；有神氣之力，以能引彼眾生之愛敬心」；「量度不準之像，則正神不與焉」。甚至對於造像尺寸不合標準所招致的過惡、造像後的開光禮儀、造像的功德及其裝飾的內容和方法，也都有詳細的論述和規定。

伍、結語

總而言之，藏傳佛像之所以能將莊嚴、慈悲與智慧的內涵充分呈現，基本上不僅因為造像者完全依循上述型制度量的嚴格規範，更因造像者能參透並融匯規範背後宗教儀軌的義理，方足以在有形的規範中，運用誠敬的人為創作力，將無形的佛性之美巧妙的表達出來。

藏傳佛像與漢傳佛像不管在內容、面相、量度、姿態、手勢和持物各方面藝術的表達，都有甚大的差異。由上述對於藏傳佛像造像的宗教歷史、藝術背景、工藝準據的析述，吾人當不難頓悟這就是藏傳佛像獨特的「藝術規範之美」和「宗教信仰內容」的精彩完美結合。

阿閦如來佛

Akshobya Buddha

52 x 38 x 29 cm

14 世紀
14th Century

銅鎏金
Copper Gilt

國內私人收藏
Private Collection

釋迦牟尼佛像

Shakyamuni Buddha

高 (H) 60 cm

12 世紀
12th Century

合金銅
Alloy Copper

國內私人收藏
Private Collection

牛黃藥擦佛像

Bezoar Coated Buddha

高 (H) 29 cm

元代 13 世紀
13th Century, Yuan Dynasty

牛黃
Bezoar

國內私人收藏
Private Collection

釋迦牟尼佛坐像 (藏西風格)

Seated Shakyamuni Buddha

高 (H) 54 cm

13 世紀
13th Century

銅
Copper

釋迦牟尼佛坐像

Seated Shakyamuni Buddha

高 (H) 21.3 cm

13 - 14 世紀
13 - 14th Century

銅
Copper

國內私人收藏
Private Collection

釋迦牟尼佛坐像

Seated Shakyamuni Buddha

32.5 x 21.7 x 53.8 cm

14 - 15 世紀
14 - 15th Century

銅鎏金
Copper Gilt

國內私人收藏
Private Collection

釋迦牟尼佛

Shakyamuni Buddha

33 x 47 x 62 cm

14 - 15 世紀
14 - 15th Century

銅鎏金
Copper Gilt

國內私人收藏
Private Collection

臥佛

Reclining Buddha

195 x 78 x 60 cm

清代
Qing Dynasty

釋迦牟尼佛
Shakyamuni Buddha

78 x 111x 48 cm

清代
Qing Dynasty

潘思源先生私人收藏
SY ZUAN PAN Private Collection

釋迦牟尼佛
Shakyamuni Buddha

52 x 78 x 35 cm

清代
Qing Dynasty

三世佛
（藥師佛、釋迦牟尼佛及阿彌陀佛）

The Three Buddhas

40 x 55 x 30 cm

清代
Qing Dynasty

釋迦牟尼佛
Shakyamuni Buddha

33 x 26 x 46 cm

近代
Modern

銅鎏金
Copper Gilt

蒙藏文化中心 典藏
Mongolian & Tibetan Cultural Center Collection

如來童子

Young Shakyamuni Buddha

12 x 10 x 30 cm

近代
Modern

銅
Copper

蒙藏文化中心 典藏
Mongolian & Tibetan Cultural Center Collection

彌勒佛坐像

Seated Maitreya Buddha

75 x 43 x 47 cm

14 - 15 世紀
14 - 15th Century

銅鎏金、局部彩繪
Copper Gilt, Part Painted

國內私人收藏
Private Collection

彌勒佛

Maitreya Buddha

高 (H) 27.5 cm

18 世紀
18th Century

銅鎏金
Copper Gilt

國內私人收藏
Private Collection

文殊菩薩

Manjushri Bodhisattva

9.6 x 7.3 x 15.2　cm

明永樂 1402-1424 AD
1402-1424 AD, Yongle Period, Ming Dynasty

銅鎏金
Copper Gilt

國內私人收藏
Private Collection

文殊菩薩

Manjushri Bodhisattva

51 x 30 x 64 cm

16 世紀清代早期
16th Century, Early Qing Dynasty

泥塑
Clay

國內私人收藏
Private Collection

51

文殊菩薩

Manjushri Bodhisattva

46 x 60 x 38 cm

清代
Qing Dynasty

潘思源先生私人收藏
SY ZUAN PAN Private Collection

文殊菩薩

Manjushri Bodhisattva

24 x 15 x 30 cm

近代
Modern

銅鎏金
Copper Gilt

蒙藏文化中心 典藏
Mongolian & Tibetan Cultural Center Collection

四臂觀音

Four-armed Avalokiteshvara

22 x 15 x 31 cm

近代
Modern

銅鎏金
Copper Gilt

蒙藏文化中心 典藏
Mongolian & Tibetan Cultural Center Collection

金剛手菩薩
Vajrapani Bodhisattva

24 x 10 x 35 cm

近代
Modern

銅鎏金
Copper Gilt

蒙藏文化中心 典藏
Mongolian & Tibetan Cultural Center Collection

綠度母

Green Tara

29 x 24 x 44 cm

近代
Modern

銅鎏金
Copper Gilt

蓮花生大士
Guru Padmasambhava

35 x 24 x 47 cm

近代
Modern

銅鎏金
Copper Gilt

蒙藏文化中心 典藏
Mongolian & Tibetan Cultural Center Collection

宗喀巴師徒三尊

Tsongkhapa and Two Disciples

主尊 (Tsongkhapa)：20 x 14 x 31 cm
小尊 (Two Disciples)：11 x 8 x 14 cm

1980 ～ 1990

紅銅全鎏金
Copper full Gilt

國內私人收藏
Private Collection

◆ 西藏唐卡：下載宇宙智慧能量的平面空間 ◆

張宏實｜藏傳佛教、唐卡藝術研究者

唐卡（thang-ka）又名「孤唐」（sku-thang），「唐」在藏文是「平坦、平原、清楚」的意思，而「孤」為「身體」，兩字合併可延伸為「平面的佛神像」。流傳至今，唐卡已經成為藏傳佛教特有的宗教藝術，它可以捲收攜帶，有別於立體佛像，被歸類為平面宗教藝術。追溯唐卡的起源大約是西元八世紀，這時期的唐卡應該受到印度造像的影響，但現存實跡罕見。而後十二～十五世紀的西藏唐卡就比較容易見到實跡，許多唐卡依舊受到外來影響。其源流來自東北印度帕拉王朝時期（Pala，始於 8 世紀，結束於 12 世紀）或與喀什米爾地區的繪畫藝術關係密切，明顯具有帕拉或中亞風味。P.84 是十三世紀的綠度母畫像，擁有帕拉繪畫的風格，是這次展覽年代最古老的唐卡。這些區域的藝術深刻影響西藏西部阿里地區古格王朝（10 ～ 17 世紀）的繪畫，包括不可移動的壁畫與可捲收攜帶的唐卡。這次「智慧之神－相遇在燃燈節」展出許多唐卡，內容以佛像為主。因為主題是「智慧之神」，所以我們一定要深談智慧如何進入唐卡的世界。

提到智慧必然聯想到佛陀一詞，因為佛陀幾乎成為智慧的等同意思。「佛陀」是梵語 Buddha 的音譯，經常簡稱為「佛」。佛陀意指證悟宇宙真理、解脫煩惱的「人」或那種美好的「智慧狀態」。請注意佛陀可以是具備身形的人物，也可以是無形無相的智慧狀態。任何人都有機會達到那個境界，你我都一樣。學佛就是練習達到那個美好境界的過程，跟著釋迦牟尼一起追尋宇宙的智慧。

佛陀的智慧境界是非常神聖奇妙的，那個境態是已經領悟宇宙終極真理，其真理在佛教稱之為「實相般若」。般若是極高境界的智慧，無法用邏輯思維來理解，所以它是超乎人類語言文字所能描繪的智慧（wisdom）。中文裡，經常多一個奇妙的「妙」 字來與一般的智慧區隔，稱為「妙智慧」，意思是「微妙的甚深智慧」。

無形無相智慧的擬像化：諸佛菩薩造像的誕生

宇宙間存在著各種智慧，原本都是無形無相的力量，而後凝聚成神聖意識體，各個宗教都有，例如西方宗教的上帝、天使。而佛教則是佛、菩薩、護法、或自然森林的神。這些不可言喻的神聖意識體，在佛教的發展過程中約從西元一、二世紀左右開始一一被擬像化，人們賦予真實可見的形象。其過程也就是由「抽象的意涵」走進「實體的造像」，最後形成我們現在於寺廟看到的佛像。直到西元五世紀左右，佛教的造像過程已經非常完備了，也就是這次展覽中諸佛、菩薩、護法的各種形象。

此次展覽的主題文殊菩薩、宗喀巴大師與章嘉大師都是智慧的極佳代表。我們先談文殊菩薩，祂是所有菩薩的智慧總代表，與祂對應的觀世音菩薩則是慈悲的總代表。慈悲與智慧是佛教界最重要的兩股能量，在大乘佛教的概念下智慧與慈悲的融合能達到完美的佛陀境界，這是非常重要的認識。文殊菩薩梵語名號 Manjusri，是著名的八大菩薩之一。諸佛菩薩的名號即是下載祂們智慧能量的密碼，所以虔

誠的佛教徒會時時刻刻念誦佛號，例如阿彌陀佛即是漢傳佛教最常見的佛號。Manjushri 的名號可拆解為兩個字根，其中 manju 傳統音譯為文殊或曼殊，意思是「美妙、雅致、可愛」。再看 shri 一字，傳統音譯為師利或室利，意指「吉祥、善美、莊嚴」。manjushri 其實就是 manju 與 shri 兩股善美能量的密碼，只要正確呼喚了這組密碼（即文殊菩薩的名號），就可以連結這善美的宇宙能量，讓世界充滿美妙、雅致、吉祥與善美的境態。也因此，文殊菩薩的另一個重要名號是「妙吉祥」。

文殊菩薩：宇宙神聖意識體的智慧能量

經典記載文殊菩薩師承大日如來，所以膚色為白，延續大日如來身形的顏色。如前所述文殊菩薩是智慧神祇的總代表，此外藏人亦相信格魯派的領袖宗喀巴與章嘉大師兩位都是祂的化身，是這次展覽極重要的主題。文殊菩薩常見一面二臂、一面四臂，亦可見三面六臂與四面八臂。然而，最重要的識別物是一把斬斷愚痴的「智慧劍」（khadga），與一本置於蓮花之上《般若波羅蜜多經》（Prajna Paramita Sutra）。找出這兩個關鍵識別物很容易立刻確認其身分。

持物與手印是辨識諸佛菩薩的關鍵之一。智慧劍與《般若波羅蜜多經》安置的方式有二類，第一類，文殊菩薩右手高舉智慧劍，左手持蓮而蓮載經書，此可參見文殊紅唐卡 (P.76) 與文殊金唐卡（P.80）。第二類，文殊菩薩作轉法輪印，兩肩背後昇起兩朵蓮花，右蓮載劍、左蓮載書。當文殊菩薩四臂時，主要兩臂的象徵持物仍屬智慧劍與《般若波羅蜜多經》，其他的兩臂則握持寶弓與寶箭（P.78）；當手臂數目再增為八臂時，除先前的四臂，增添的其中兩手持轉法輪印，而另兩手則握持金剛鈴與金剛杵。

宗喀巴大師：地球真實人類的智慧能量

這次展覽的第二個智慧象徵是宗喀巴大師（Tsongkhapa，1357-1419），他是西藏最偉大的喇嘛之一，被譽為釋迦牟尼佛所傳教法最權威的闡釋者，與宗教實踐最有力的改革者。宗喀巴同時被認為是格魯派的創建者，並在五世達賴喇嘛時期發展成為西藏最大的教派，同時也促進了西藏其他所有教派的繁榮。在西藏宗喀巴被奉為民族英雄，同時也被認為是文殊菩薩的化身。由於宗喀巴是文殊菩薩的轉化身形（P.90、92），於是擁有相同的關鍵辨識物，右肩旁蓮花盛載的智慧劍，左肩蓮花盛載經書。前者象徵斬斷愚痴、辨別真理的心，後者的意義是智慧。

宗喀巴大師皈依境唐卡：宇宙虛空諸佛菩薩的智慧能量與地球真實人類的智慧能量

P.90 是一張特殊結構的唐卡，稱為「宗喀巴大師皈依境」。此張唐卡最醒目的位置即是繪有宗喀巴大師，他的右手結說法印，左手持禪定印，頭戴黃色的班智達帽，雙跏趺坐姿，呈現寧靜祥和的相狀。如同前述右肩處的蓮花載盛一把智慧劍，左肩處的蓮花則是載盛經

書，此兩物是文殊菩薩最重要的辨識要點，如此說明宗喀巴與文殊菩薩的連結。他手上還托著藍色寶缽，在大師的心間處是釋迦牟尼佛，由此位置放射出四道光芒，形成左右兩區中型雲塊，與上面一區小型雲塊，與下方眾多人物的智慧群組。

整張唐卡是個智慧能量的總會聚，完全符合這次展覽的主題。然而人物眾多無法一一詳述全幅結構，僅以宗喀巴大師之下人物予以說明。這三角區塊佔據整個畫面約 2/3，其中一類象徵宇宙智慧的神聖意識體，祂們是存在於虛空的諸佛、菩薩與護法，都不曾誕生於地球。而另一類智慧代表群是人類歷史真實存在的上師、聖者、智者。在這龐大的智慧上師也可分成兩大類，其中「顯教上師」是穿著僧袍，歷史上知名的僧侶；而「密教上師」並非真實人類，很多是多首、多臂、多足的格魯派守護神或金剛，例如密集金剛、大威德金剛、勝樂金剛、吉祥喜金剛和時輪金剛都在其中。

智慧與慈悲的融合：慈悲是獲取智慧的加速器

這裡有個最具神秘意義的「轉化」一詞，宇宙智慧的神聖意識體文殊菩薩，並非真實人類，但透由轉化的方式成為宗喀巴大師，這就如同觀音菩薩的「化身」是達賴喇嘛。簡單說「智慧能量」總代表是文殊菩薩，而「慈悲能量」總代表是觀音菩薩。在藏傳佛教的系統兩者分別以宗喀巴大師與達賴喇嘛的人類身形誕生於地球。佛教的世界終極目標是追求宇宙的智慧，達到圓滿的覺醒。不過，在大乘佛教來說，慈悲是獲取智慧的「加速器」，於是慈悲能量變得格外重要，而且慈悲可以連結宇宙萬物。擁有慈悲卻沒有智慧，或是擁有智慧卻沒有慈悲，都是不圓滿的覺悟狀態，慈悲與智慧的融合才是完美的境態，此稱「悲智合一」。在這次展覽中，除了文殊菩薩也有觀世音菩薩的唐卡，參見 P.82。

章嘉大師：藏傳佛教轉化於臺灣的超凡智者

蒙藏文化館最珍貴的歷史意義肯定是藏傳佛教格魯派第七世章嘉呼圖克圖在臺的駐錫地。章嘉呼圖克圖，也稱為章嘉活佛，藏傳佛教內蒙古地區於歷史上地位最為崇高的活佛，曾與外蒙古的哲布尊丹巴呼圖克圖並稱為蒙古區域兩個最大職位的呼圖克圖。他們兩位又與我們一般人熟悉的達賴喇嘛、班禪額爾德尼並稱為「藏密四大活佛」，是藏傳佛教四大領袖。呼圖克圖一詞傳統被視為活佛，其實該詞是蒙古語音譯，「呼圖克」意思是「福」，「圖」為「有」，合併為「福有」，引申為「聖者」之意。隨著藏傳佛教傳入蒙古，「呼圖克圖」逐漸變為一種藏傳佛教高僧職銜，那是清朝授予蒙、藏地區大活佛的封號。然而在不同時期該詞的意思有變化，它還有「有壽」（引申為長生不老之意）、「化身」等不同意譯。

讓我們整理呼圖克圖的意思，除了活佛之外，還有福有、聖者、有壽、化身等四個意思。這裡我們將章嘉大師的焦點放在「聖者」與「化身」。聖者代表章嘉大師擁有超凡的智慧，化身一詞口語化的意思是變化身形，意味

著章嘉大師是由文殊菩薩的智慧能量而轉化成人類身形，是這次展覽第三個宇宙智慧能量的匯聚點。蒙藏文化館三樓章嘉大師紀念堂的藏品，成為展覽的重點之一。這個神聖空間妥適地保存安奉大師一生的文物，於 2021 年展開紀念堂重整計畫。雖然沒有實體的唐卡，但有一張第三世章嘉大師為主尊之傳承唐卡照片，與第七世章嘉大師油畫遺像。透由第三世章嘉大師的黑白唐卡照片，再一次發現如同文殊菩薩、宗喀巴大師，智慧劍與經書同樣是章嘉大師最重要的識別物。

智慧、慈悲再擴展到伏惡：唐卡世界三種能量的完美配置

智慧能量貫穿這次展場，慈悲能量也同樣重要。最後必須提及降伏負面能量的護法，其忿怒面容讓初次觀看者會有些畏懼。護法梵語 dharmapala，其中 dharma 是佛法的意思，pala 意指保護，兩字結合為護法，顧名思義就是護持佛法之神。護法的面相多屬忿怒相，「赤髮衝天，火燄濃眉，忿恨皺眉，三眼怒目，捲舌露牙」，恐怖的形象可說是藏傳佛教藝術中最鮮明特殊的一群神祇。在西藏祂們經常被繪製成唐卡或壁畫，於威嚴晦暗的廟宇格外令人感到冷峻恐懼，其目的是藉由護法來遏阻邪魔並保護廟宇。護法通常是戰鬥形象，請注意戰鬥不是國與國之間的戰爭行為，而是與人類自身貪、瞋、癡的負面能量而戰，或是調伏生存環境空間的負面能量。

理解智慧、慈悲、伏惡三股能量的象徵意義與真實義理就可以擁有西藏唐卡的基礎核心思想，唐卡的位置結構圖通常中央是象徵慈悲能量的四臂觀音，左下方是智慧能量的文殊菩薩，右下方是伏惡能量的金剛手護法（亦可稱為金剛手菩薩）。西藏獨有的唐卡是二度空間的繪畫，在唐卡中具體形式的佛像是眾生與意識空間溝通的極佳橋樑，在「觀像」過程宛如「請」一尊具體相狀的佛像顯現於面前，而後專注念佛。當然除了平面的唐卡，佛像可以是立體形式的雕塑。一面念佛，一面觀想諸佛菩薩的相好莊嚴，格外容易進入專注的境態，最終目的即使獲取佛菩薩的智慧能量，也就是這次展覽的主題－「智慧之神」的核心概念。

釋迦牟尼佛紅卡

Shakyamuni Buddha - Red Thangka

78 x 52 cm

17 世紀
17th Century

棉布膠彩
Fabric Pigment

國內私人收藏
Private Collection

釋迦牟尼黑唐卡

Shakyamuni Buddha - Black Thangka

158 x 92 cm

近代
Modern

棉布膠彩
Fabric Pigment

千佛與十六羅漢

Thousand Buddhas and Sixteen Arhats

50.8 x 40.6 cm

14 世紀
14th Century

棉布膠彩
Fabric Pigment

國內私人收藏
Private Collection

文殊菩薩紅唐卡

Manjushri Bodhisattva - Red Thangka

157 x 96 cm

近代
Modern

棉布膠彩
Fabric Pigment

蒙藏文化中心 典藏
Mongolian & Tibetan Cultural Center Collection

文殊菩薩金屬唐卡

Manjushri Bodhisattva - Metal Thangka

44 x 33 cm

近代
Modern

金屬浮雕
Metal Relief

文殊菩薩金唐卡

Manjushri Bodhisattva - Golden Thangka

120 x 75 cm

近代
Modern

棉布膠彩
Fabric Pigment

蒙藏文化中心 典藏
Mongolian & Tibetan Cultural Center Collection

十一面千手千眼觀音

Thousand-armed Avalokiteshwara

110.5 x 76.5 cm

雍正 / 乾隆年間 18 世紀
18th Century Between Yongcheng / Qianlong period

棉布膠彩
Fabric Pigment

國內私人收藏
Private Collection

綠度母

Green Tara

43 x 36 cm

13 世紀
13th Century

棉布膠彩
Fabric Pigment

國內私人收藏
Private Collection

騎龍藏跋拉（白財神）

White Zambhala

76 x 51.5 cm

18 世紀
18th Century

棉布膠彩
Fabric Pigment

國內私人收藏
Private Collection

蓮花生大士
Guru Padmasambhava

134 x 102 cm

近代
Modern

棉布膠彩
Fabric Pigment

蒙藏文化中心 典藏
Mongolian & Tibetan Cultural Center Collection

宗喀巴大師上師皈依境

Tsongkhapa Guru Refuge Tree（藏語：Tsok-Shing）

54.5 x 39 cm

18 世紀
18th Century

棉布膠彩
Fabric Pigment

國內私人收藏
Private Collection

宗喀巴事蹟

Tsongkhapa and Scenes from his Life

118 x 80 cm

18 世紀晚期
Late 18th Century

棉布膠彩
Fabric Pigment

國內私人收藏
Private Collection

唐卡 – 宗喀巴傳

Thangka — Tsongkhapa Life-story

120 x 172 cm (含裝襯 with lining)

近代
Modern

畫心：棉布著色
裝襯：布幔、木軸、金屬軸頭

Centerpiece - Fabric Pigment
Lining - Cloth Drapery, Wood Axis, Metal Axis Cups

長河藝術博物館 黃英峰先生收藏
Evergrand Art Museum, Huang Ying Feng Collection

唐卡 – 宗喀巴傳

Thangka — Tsongkhapa Life-story

119 x 170 cm (含裝襯 with lining)

近代
Modern

畫心：棉布著色
裝襯：布幔、木軸、金屬軸頭

Centerpiece - Fabric Pigment
Lining - Cloth Drapery, Wood Axis, Metal Axis Cups

宗喀巴大師拼貼唐卡

Tsongkhapa - Appliqué Thangka

64 x 45 cm

近代
Modern

棉布貼花
Fabric Appliqué

蒙藏文化中心 典藏
Mongolian & Tibetan Cultural Center Collection

七世達賴格桑嘉措

The Seventh Dalai Lama, Kelsang Gyatso

58 x 38 cm

18 世紀下半葉
2nd Half of 18th Century

棉布膠彩
Fabric Pigment

天文曆算
Tibetan Astrology

77 x 77 cm

近代
Modern

棉布膠彩
Fabric Pigment

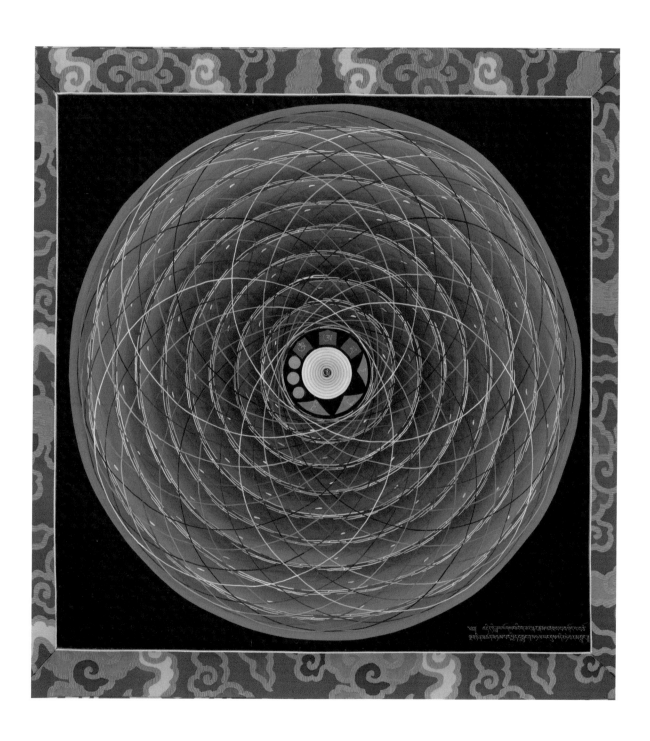

◆ 西藏嘎烏與擦擦：移動的神聖寺廟 ◆

張宏實｜藏傳佛教、唐卡藝術研究者

嘎烏釋名

嘎烏（藏音：gahu）常見於西藏地區的佛像胸前，是一種可以相互扣合的盒狀物，扣合處有鎖扣與穿繫的裝置，可用來串珠串。嘎烏為西藏區域特有的金屬盒，選用金、銀、銅、錫等材質，盒蓋上多鑲有綠松石、珊瑚之類的半寶石，也有不含寶石的素面嘎烏。嘎烏的形狀不一，除了方、圓和葉形，最特別的是作成微型寺廟的造型，其內可安置佛像，有個窗口設計可以看到所供奉的小尊佛像。

嘎烏宛若一座移動的寺院

整個嘎烏宛若一座可以移動的廟宇，也因此西方人士會將嘎烏描述成 portable shrine，意思是「隨身廟」，這是頗貼切的譯詞。至於清朝宮廷則賦予此類護身盒正式的官方稱謂「佛鍋」，「鍋」取其音似嘎，「佛」則彰顯其義涵。據史料記載，清乾隆四十三年十一月二十八日，於西藏的進貢品中，記載一只極為美麗黃金打造的嘎烏，長方形蓋面錘蝶繙蓮紋，並鑲嵌著珍珠、珊瑚和綠松石。此件文物現存於士林故宮博物院。在西藏寺院供奉的佛像其胸前也會安置嘎烏，不屬於移動式的嘎烏。通常此類嘎烏體積較大，製作精緻細膩，華美莊嚴。

於日常生活中，藏人也會配帶小型嘎烏於身上，類似個人的護身符或修行上使用的隨身小佛龕，亦兼具個人裝飾之用。無論寺院供奉或是個人使用的嘎烏，盒內除了安置小佛像，也會裝著經文，或高僧的舍利子等吉祥物。

嘎烏的製作

西藏原始藝術主要有四個源頭：藏域本土的原始信仰、漢土的中原文化、印度咒頌、佛教密乘。此四類藝術發展都表現在嘎烏的圖案上，對於嘎烏圖形的認識有助於了解西藏文化變遷與發展。西藏的工藝技術主要有三類：❶錯金❷嶄金❸鑲嵌寶石，此三種技法充份反映在「嘎烏」的製造過程。「錯金」的錯字意思是相互交錯、鑲嵌、安置等三種意義。這種工藝技術是將金銀絲線嵌在器皿，其上安置幾何交錯的紋樣。除了金質亦可採用銀質，稱為「錯銀」。「嶄金」則是在金銀類器物上，嶄刻出細緻的花紋圖案。「鑲嵌寶石」是將綠松石、琥珀、珊瑚與其它珠玉寶石嵌入器皿內，構成立體感強、裝飾性佳的紋飾。除了嘎烏，在藏人的日常用品，如火鐮、刀鞘、銀製錢袋亦可見此三種工藝的表現。此次展覽的宗教器物、樂器、生活用品也都可以看到這些西藏的傳統工藝，許多是器物關鍵物理性承受位置，例如茶壺的壺蓋、酥油桶上緣、底座處。

嘎烏的題材

嘎烏內的佛像可以是泥塑材質的立體佛像（擦擦，詳見後），亦可以是金屬製的佛像，還有平面的筆繪佛像。此次展出嘎烏的題材包含宗教人物、諸佛菩薩、種子字（梵字唵）、建物（舍利塔）。宗教人物包含了釋迦牟尼佛與宗喀巴大師，兩位都是歷史的真實人物，擁有超凡的智慧。另一類諸佛菩薩、護法、

度母等，則是宇宙與地球空間的神聖意識體，祂們原本是無形無相的智慧能量，而後「轉化」成具備身形的造像。展場包含了寂靜面容的文殊菩薩（象徵智慧）、彌勒菩薩（未來佛）、十一面觀音與千手千眼觀音（象徵慈悲），還有溫柔容顏的綠度母、白度母，兩位是觀音菩薩留下眼淚的慈悲化身。此外，再加上三樓的章嘉大師紀念堂保存個人留下來的珍貴物品。除了溫柔的白度母，也包含忿怒面容的大威德金剛、金剛瑜珈女，還有守護個人的吉祥天母、獅面空行母。寂靜面容諸尊擁有慈悲能量與智慧能量。而忿怒身形則是具備降伏的能量，降伏修行者內貪、瞋、癡的負面情緒，或是調伏環境自然空間的負面能量。

擦擦釋名

如上述提嘎烏內的佛像除了平面繪畫、立體金銅佛像，亦包含擦擦（藏音：tsha tsha；梵音：satchāya），現在是藏傳佛教特有的一種小型脫模泥塑。追溯擦擦的起源來自古代印度，當時是採用金屬模具，將各種膠泥擠壓成形。膠泥的成分摻有麥粒、珍寶粉末、香料，更特別的是高僧的骨灰舍利等。早期印度嘎烏的圖像以各種形式的舍利塔為主，但也有《般若波羅蜜多心經》的經咒。

約在七世紀擦擦傳入西藏，隨後當地也開始自製模具。西藏擦擦基本上承襲印度製作模式，材料採用泥塑或是膏狀藏藥。如同印度使用模子印出後曬乾製成，過程還會經由高僧誦經、加持，並內供舍利等聖物後作為修持物品。在西藏擦擦除了供奉於嘎烏內作為隨身攜帶，或安置於佛堂供奉。此外，西藏會將擦擦放置於修習的岩窟，也會堆放在山頂和路口的瑪尼堆（石塊和石板疊成的祭壇），並與風馬旗、經幡放在一起。

來到西藏擦擦題材也有變化，改以諸佛菩薩、護法與神靈的圖案為主，亦包含「六字真言」，取代了早先印度的舍利塔與《般若波羅蜜多心經》的經咒。在章嘉大師紀念堂展示了白度母（右手與願印，左手說法印）、咕魯咕列佛母（引弓射箭者）、象鼻天財神（象首人身）、欲帝明王與增樂佛母（佛父佛母雙身像）等小型擦擦。其中白度母是觀音菩薩的化身，象徵慈悲。另外三尊可以放在一起討論，首先是咕魯咕列佛母，又稱作明佛母，代表懷愛（梵音：vaśākarana）的修行法門。第二位象鼻天是來自於印度的智慧之神，可以帶來財富也有懷愛的修行特質。欲帝明王一般認為是大自在天的變化身形（註：亦有愛染明王的不同說法），祂被視為造物主或天界的君王層級，亦屬於懷愛的修持範圍。三尊均屬懷愛法，此門最簡單的功德是讓自己人緣佳，充滿智慧與喜悅。再者可以受長官賞識、喜愛，再往上是菁英層級的領導人物可讓部屬擁戴。整個懷愛法是維持一個優質和諧的人際關係。此三尊於造像儀軌均屬紅膚因此稱為「三紅尊」，是薩迦派的修行法門。這三件小型擦擦是章嘉大師的個人修行物品，由此可知屬於格魯派傳承的章嘉大師也應該與薩迦派有著因緣。

嘎烏、擦擦將修行融入藏族的日常生活

要了解藏人如何將修行融入日常生活之前，讓我們先認識藏傳佛教中的一個很特殊的名詞：本尊，它跟影像視覺化有著密切的關係。「本尊」一詞在藏語音譯為 yidam，梵語則是 ishtadevata。雖然這個字詞在西藏或印度是一個常見的用語，但是在中文裡卻很難找到一個恰當的字詞來描述。通常會稱之為本尊，但更完整的譯名是「本尊守護神」，意思是可以守護個人的神聖意識體。至於「本尊」一詞更精確的理解，應該是代表「覺悟或是證得智慧的意義與過程」。這原本是一個抽象概念，而藏傳佛教成功地以一個具象的擬人化圖像來傳達這個特殊的名詞，將抽象的「覺悟的意義與過程」，轉化成實體的身像，也就是有形體的佛像，成為一個可以參拜供養的具象身形。

然而藏人在不同生命階段有不同的本尊守護神，例如年輕人喜愛綠度母，因為祂可以帶來青春、美麗、智慧還有姻緣。而這個概念融入西藏獨有的宗教器物嘎烏，可以佩戴於身上，其內安置個人修行的本尊守護神，如此非常符合西藏游牧的生活特質。對於更精進的密宗修行者而言，出門時佩戴嘎烏呈現更神聖的兩個意義，其一祈求本尊的能量加持，其二是修法時可取出供奉，進而轉化成隨身的密壇。此密壇是個人修行過程的神聖空間，透由儀軌的運作可讓諸佛菩薩降臨於此空間。總之，嘎烏與擦擦其實是個非常神聖又實際的宗教器物，兩者擁有可以攜帶特質，藉此

藏族將虔誠的宗教修行融入於生活之內，時時刻刻帶在身邊，讓諸佛菩薩的智慧能量隨時可以下載於修持者的身、心、靈。

編者按：1.嘎烏是藏語的音譯，另有一稱噶烏。2.嘎烏的藏音譯有 gahu 或 gau。擦擦的藏音譯有 tsha tsha 或 tsatsa。

紫檀金剛杵
（金剛橛、普巴杵）

Phurpa Dagger

8.8 x 9 x 47.2 cm

18 世紀
18th Century

紫檀
Rosewood

國內私人收藏
Private Collection

金剛杵

Vajra

28 x 31 x 28 cm

清代
Qing Dynasty

潘思源先生私人收藏
SY ZUAN PAN Private Collection

噶當巴佛塔

Kadampa Stupa

55 x 23 x 23 cm

13 世紀 元代
13th Century, Yuan Dynasty

合金銅
Alloy Copper

國內私人收藏
Private Collection

噶當塔

Kadam Stupa

高 (H) 59 cm

13 世紀
13th Century

合金銅
Alloy Copper

國內私人收藏
Private Collection

佛龕
Altar

50 x 80 cm

明代 15 世紀
15th Century, Ming Dnasty

木質彩繪
Wooden Painted

國內私人收藏
Private Collection

佛龕
Altar

27 x 32 x 42 cm

清代 18 世紀
18th Century, Qing Dynasty

木質彩繪
Wooden Painted

國內私人收藏
Private Collection

硨磲
（藏傳佛教七寶之一）

Tridacina
(One of the seven jewels of Tibetan Buddhism)

直徑 (Diameter) 12cm

硨磲
Tridacina

國內私人收藏
Private Collection

讀經桌
Scripture Reading Table

79 x 36 x 34 cm

近代
Modern

木質彩繪
Wooden Painted

國內私人收藏
Private Collection

寺廟屋頂勝幢鰲魚面

Makkar on Victory Banner, Tibetan Temple Rooftop

133 x 106.5 cm

清代 18 世紀
18th Century, Qing Dynasty

銅鎏金
Copper Gilt

國內私人收藏
Private Collection

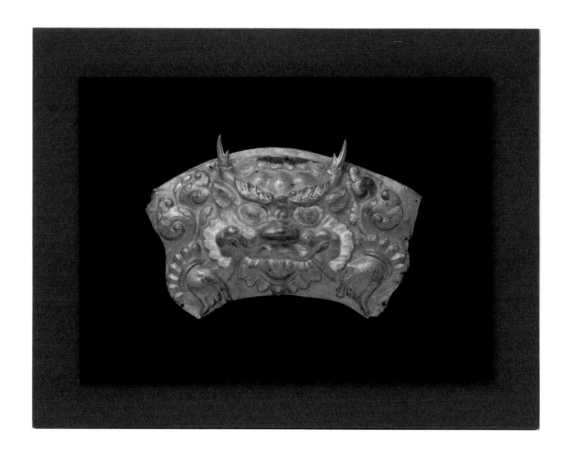

轉經輪

Prayer Wheel

60 x 90 x 34 cm

清代
Qing Dynasty

潘思源先生私人收藏
SY ZUAN PAN Private Collection

護法的門

Protector Deity Gate

173 x 220 cm

明代 15 世紀
15th Century, Ming Dynasty

木質彩繪
Wooden Painted

國內私人收藏
Private Collection

護法的門

Protector Deity Gate

170 x 220 cm

清代 18 世紀
18th Century, Qing Dynasty

木質彩繪
Wooden Painted

國內私人收藏
Private Collection

掛毯（一對喇嘛毯）

A Pair of Wall Carpets with Lamas

192 x 80 cm

清代 18 世紀
18th Century, Qing Dynasty

寧夏毯
Ningsha Carpet

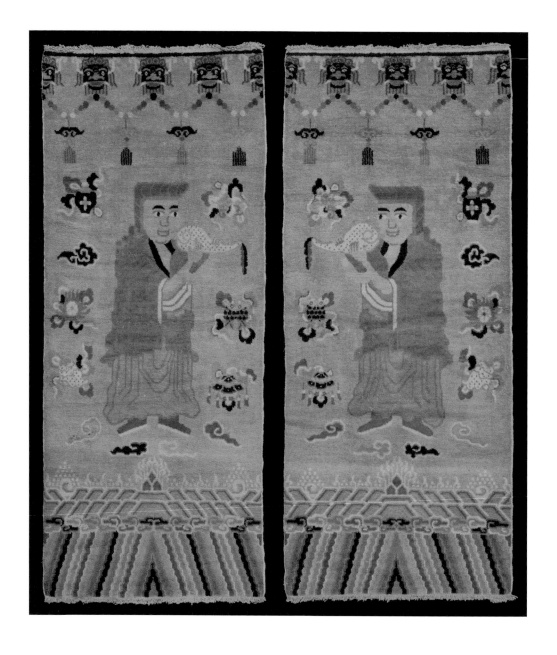

八吉祥圖掛毯

Eight Auspicious Sign Wall Carpet

540 x 61 cm

清代 18 世紀
18th Century, Qing Dynasty

寧夏毯
Ningsha Carpet

國內私人收藏
Private Collection

羊毛掛毯
Woolen Wall Carpet

245 x 182 cm

清代 18 世紀
18th Century, Qing Dynasty

寧夏毯
Ningsha Carpet

國內私人收藏
Private Collection

地毯
Carpet

160 x 77 cm

清代晚期
Late Qing Dynasty

羊毛、絲
Wool, Silk

國內私人收藏
Private Collection

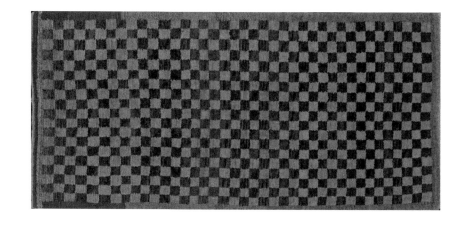

地毯
Carpet

202 x 85 cm

20 世紀
20th Century

羊毛
Wool

國內私人收藏
Private Collection

噶烏（護身佛盒）

Gau (Amulet)

18.5 x 22.6 x 8.6 cm

近代
Modern

銅鎏金
Copper Gilt

蒙藏文化中心 典藏
Mongolian & Tibetan Cultural Center Collection

薰香爐

Incense Burner

19 x 28 cm

近代
Modern

銅
Copper

蒙藏文化中心 典藏
Mongolian & Tibetan Cultural Center Collection

釋迦牟尼佛泥塑

Clay Shakyamuni Buddha

20 x 17 x 6 cm

清代 19 世紀
19th Century, Qing Dynasty

泥塑
Clay

國內私人收藏
Private Collection

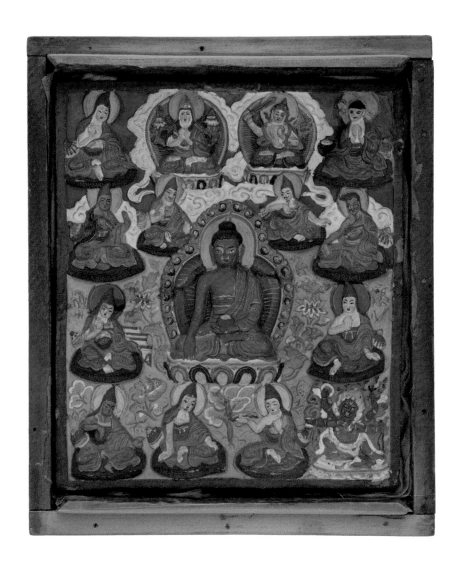

釋迦牟尼佛擦擦佛像與十六羅漢

Shakyamuni Buddha Tsatsa with Sixteen Arhats

9 x 13.6 x 2 cm

清代 19 世紀
19th Century, Qing Dynasty

紙泥塑
Paper Clay

國內私人收藏
Private Collection

宗喀巴皈依境泥塑

Clay Tsongkhapa Refuge Tree

37 x 27 x 6 cm

清代 18 世紀
18th Century, Qing Dynasty

泥塑、紙泥塑
Clay, Paper Clay

國內私人收藏
Private Collection

十三世達賴土登嘉措擦擦佛像

Tsatsa, the Thirteenth Dalai Lama, Thupten Gyatso

16 x 18 x 2 cm

清代 19 世紀
19th Century, Qing Dynasty

紙泥
Clay

國內私人收藏
Private Collection

噶烏 (內裝釋迦牟尼佛)
Gau (installed inside Shakyamuni Buddha)

6 x 7.8 x 4 cm

清代 18 世紀
18th Century, Qing Dynasty

銀
Silver

國內私人收藏
Private Collection

彌勒佛噶烏
Maitreya Buddha Gau

3.5 x 5 x 1.4 cm

清代 18 世紀
18th Century, Qing Dynasty

銀 / 銅
Silver / Copper

國內私人收藏
Private Collection

釋迦牟尼佛噶烏
Shakyamuni Buddha Gau

5.2 x 4.8 cm

清代 19 世紀
19th Century, Qing Dynasty

銅
Copper

國內私人收藏
Private Collection

十一面觀音噶烏
Eleven-headed Avalokiteshwara Gau

4x 4.5 x1.2 cm

清代 18 世紀
18th Century, Qing Dynasty

銀 / 銅
Silver / Copper

國內私人收藏
Private Collection

千手千眼觀音擦擦
Thousand-armed Avalokiteshwara Tsatsa

高 (H) 26 cm

清代 18 世紀
18th Century, Qing Dynasty

泥塑
Clay

國內私人收藏
Private Collection

事部三尊噶烏
Three Deities of Kriya Tantra Gau

8.6 x 11 x 1.4 cm

清代 19 世紀
19th Century, Qing Dynasty

鋼
Steel

國內私人收藏
Private Collection

白度母噶烏
White Tara Gau

5.5 x 6.5 x 1.5 cm

清代 18 世紀
18th Century, Qing Dynasty

銀
Silver

國內私人收藏
Private Collection

4.2 x 5 x1.5 cm

清代 19 世紀
19th Century, Qing Dynasty

銀 / 銅
Silver / Copper

國內私人收藏
Private Collection

2.2 x 2.8 x 1.2 cm

清代 19 世紀
19th Century, Qing Dynasty

銀
Silver

國內私人收藏
Private Collection

吉祥天母噶烏

Palden Lhamo Gau

9.2 x 11.3 x 1.3 cm

清代 18 世紀
18th Century, Qing Dynasty

銀
Silver

國內私人收藏
Private Collection

黃財神噶烏

Yellow Zambhala Gau

4.2 x 4.2 cm

清代 19 世紀
19th Century, Qing Dynasty

銀
Silver

國內私人收藏
Private Collection

宗喀巴噶烏
Tsongkhapa Gau

5 x 5 x1.2 cm

清代 19 世紀
19th Century, Qing Dynasty

銅
Copper

國內私人收藏
Private Collection

宗喀巴噶烏
Tsongkhapa Gau

3 x 4.7 x 1.5 cm

清代 19 世紀
19th Century, Qing Dynasty

銀
Silver

國內私人收藏
Private Collection

兜率天上師瑜珈法噶烏
Tushita Guru Yoga Gau

6.5 x 5.3 cm

清代 19 世紀
19th Century, Qing Dynasty

銀 / 銅
Silver / Copper

國內私人收藏
Private Collection

噶烏 (宗喀巴)
Gau (Tsongkhapa)

11 x 9.5 x 2 cm

清代 18 世紀
18th Century, Qing Dynasty

銀
Silver

國內私人收藏
Private Collection

宗喀巴師徒三尊噶烏
Tsongkhapa and Two Disciples Gau

19.5 x 26 x 2 cm

清代 19 世紀
19th Century, Qing Dynasty

銀 / 銅
Silver / Copper

國內私人收藏
Private Collection

噶烏（班禪四世）
Gau (the Fourth Panchen Lama)

8 x 9.8 x 1.1 cm

清代 18 世紀
18th Century, Qing Dynasty

銀 / 銅
Silver / Copper

國內私人收藏
Private Collection

嗡（梵文嗡字噶烏）
Sanskrit Om Gau

6.5 x 8.5 x 2.7 cm

清代 19 世紀
19th Century, Qing Dynasty

銀
Silver

國內私人收藏
Private Collection

佛塔噶烏
Stupa Gau

高 (H) 12cm

清代 19 世紀
19th Century, Qing Dynasty

泥塑
Clay

國內私人收藏
Private Collection

護心鏡
Heart Protection Mirror

直徑 (Diameter) 18 cm

清代 17 世紀早期
Early 17th Century, Qing Dynasty

銀鎏金
Silver Gilt

國內私人收藏
Private Collection

淨瓶袋
Cleansing Vase Pocket

26 x 30 cm

清代 18 世紀
18th Century, Qing Dynasty

刺繡
Embroidery

國內私人收藏
Private Collection

法器墊布
Ritual Objects Mat

28 x 29 cm

清代 18 世紀
18th Century, Qing Dynasty

刺繡
Embroidery

國內私人收藏
Private Collection

咕嚕秋旺普巴杵

Phurba Dagger of Guru Chowang

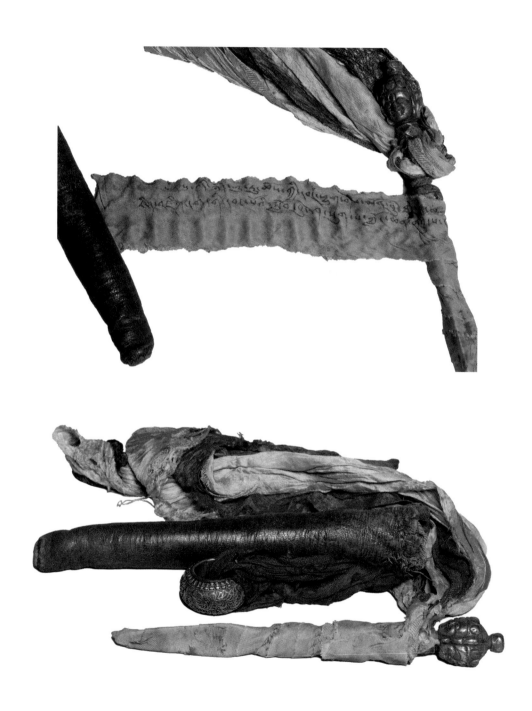

宗喀巴牙舍利

A Sacred Tooth Relic of Je Tsongkhapa

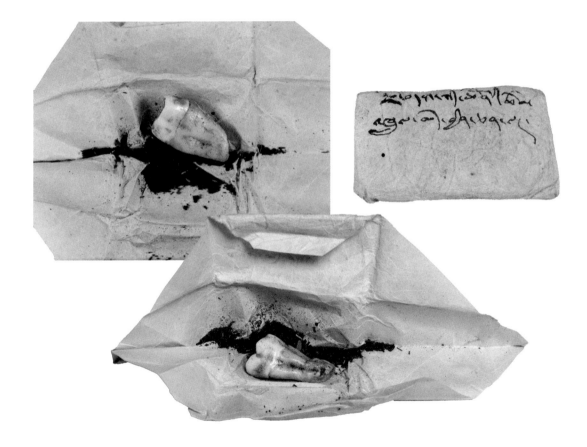

宗喀巴大師法帽布片
A Piece of Cloth from Je Tsongkhapa's Hat

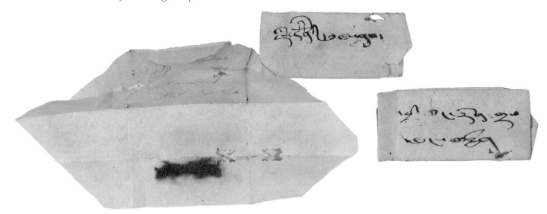

宗喀巴大師袈裟布片
A Piece of Cloth from Je Tsongkhapa's Dharma Robe

宗喀巴大師法裙流蘇
A Piece of Cloth from Je Tsongkhapa's Dharma Skirt

迦葉佛牙舍利（分）
The Sacred Tooth Relics of Kashyapa Buddha

阿底峽尊者聖衣布片
A Piece of Cloth from Atisha's Sacred Robes

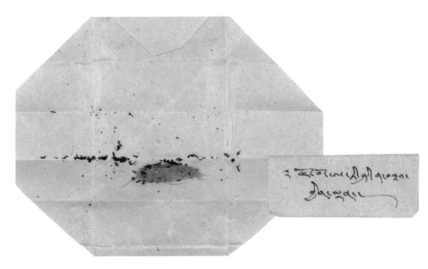

密勒日巴禪定帶布片
A Piece of Cloth from Milarepa's Meditation Belt

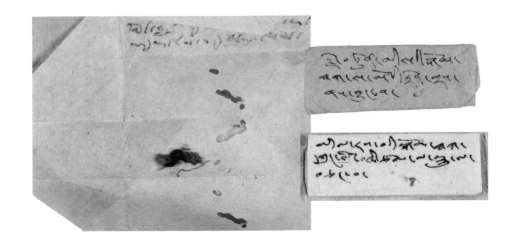

如來格桑嘉措（七世達賴）頭髮
The 7th Dalai Lama's Hair

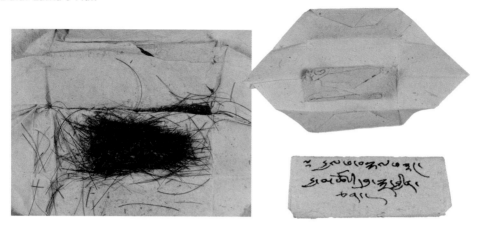

賈色金剛持洛桑阿旺妥美丹增嘉措高僧自生頭髮
The Natural-grown Hair of Gyalsey Vajra Holder Lobsang Ngawang Thokme Tenzin Gyatso

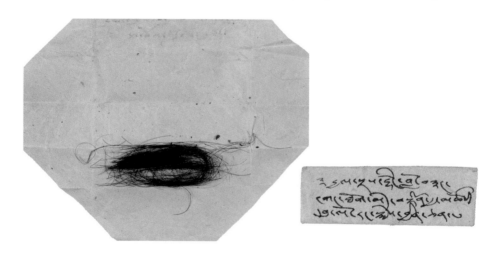

貝瑪碩日高僧頭髮
The Sacred Hair of Great Master Pema Shwori

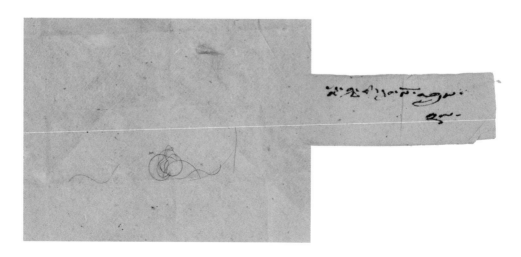

賈色仁波切的增長舍利
The Natural-born Sacred Relics of Gyalsey Rinpoche

甘露法藥
Dharma Nectar Pills

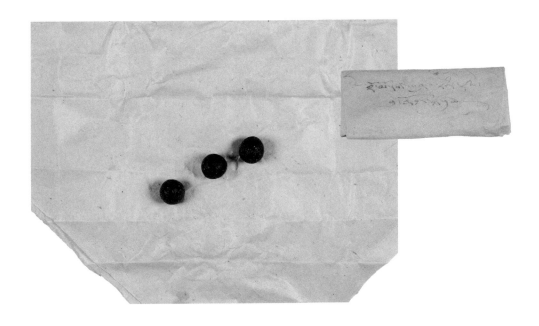

灌頂小法相護身符

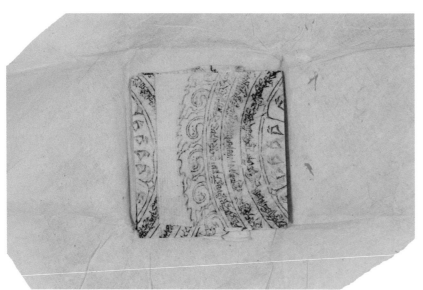

普巴杵
Phurpa Dagger

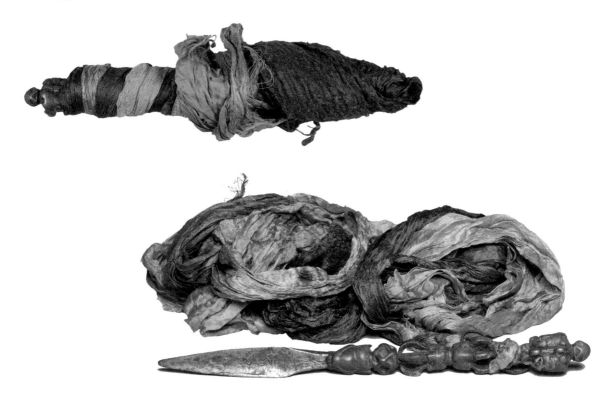

五幅金剛杵
Five-Spoked Vajra

咒輪壇城護身符
Mantra Mandala Protection Amulet

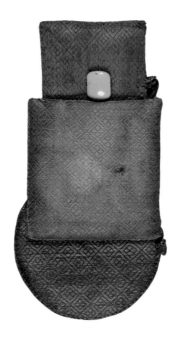

天鐵大鵬金翅鳥
Meteorite Thokchag Garuda

四方噶烏（內供獅面空行母）
Square Gau (inside: Picture of Simhamukhi Dakini)

金剛瑜珈母噶烏
Gau of Vajrayogini

吉祥天母噶烏
Palden Lhamo Gau

綠度母噶烏
Green Tara Gau

大威德金剛噶烏
Vajrabhairava Gau

1對普巴杵蛇龍小擦擦（降伏惡龍）
A Pair of Tsatsa with Phurba Daggers and Nagas（Subduing the Nagas）

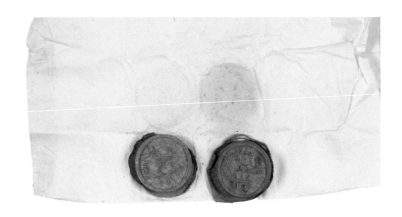

咕魯咕列佛母小擦擦

Kurukulle Tsatsa

欲帝明王及增樂佛母小擦擦

Takkiraja and Consort Sukha Bharati Tsatsa

白度母小擦擦
White Tara Tsatsa

象鼻天財神小擦擦
Wealth Deity Ganesh Tsatsa

黃財神佛像
Wealth Deity Yellow Zambala

長壽佛小佛像
Long Life Buddha

金剛總持佛像
Vajradhara Buddha (Dorje Chang)

◆ 藏式家具的特色 ◆

劉國威 | 國立故宮博物院書畫文獻處研究員兼科長

木雕彩繪是藏族傳統六大雕繪技藝（陶、石、木、泥、銅、酥油）中的重要組成部分，木雕依其目的功能又可分建築木雕、家具木雕、器皿木雕、造像木雕、經書內文木雕、經書封板木雕、模具木雕、風馬旗木雕等。

西藏傳統木雕藝術的題材豐富，從日常生活到宗教信仰層面皆有觸及，著重其實用性，極具民族色彩，而木雕彩繪家具，更是備受藏人珍愛的藝術產品，至今各地藏族多數家戶仍習採用此等藏式風格家具。

藏式家具的種類不似漢式或歐式古典家具那般繁複龐雜，主要就是佛龕、櫃、床、桌、凳這幾大類，再加上傳統藏人家中必備的傳統器皿，如切瑪盒、糌粑盒、酥油茶桶、木碗等。家具的雕飾內容豐富、題材廣泛；彩繪紋飾亦艷麗精美、風格明顯。家具的木雕裝飾所在處多是位於諸如藏桌的四面擋板、藏床三面的擋板、藏櫃櫃門等，最精美雕工技藝的展現所在一般就是佛龕，雕工極顯精緻華麗。

家具材質

海拔平均在 4000 公尺以上的青藏高原地貌與平地有頗大差異，空氣含氧量較低，約為平地的一半；平均氣溫亦較低，冬季尤寒。高原夏季雖是多雨，但降雨強度不大，且多在晚間；日照時間長，晝夜溫差大。青藏高原雖然平均海拔高，然因地貌的多樣性，卻同時擁有山地熱帶、亞熱帶、河谷溫帶、高

原寒溫帶和高山寒溫帶等多種氣候條件，因此青藏高原的植物種類繁多。西藏東南部金沙江和雅魯藏布江流域一帶，山脈間的河谷、峽谷（部分地區低至海拔約 500 公尺）受印度洋氣候影響，雨量充沛，氣候溫潤，是藏地的主要林區。當地環境適合生長杉類（雲杉、冷杉），它是青藏高原森林的主體。一般單株樹徑能達 1 公尺以上，高度則有 45 至 60 公尺；粗壯的杉木樹徑超過 2.5 公尺，高度可達 80 公尺，樹幹筆直，樹瘤較少，材質頗佳。

藏式家具的取材受藏區自然環境的影響，主要選用當地生產的杉木、松木、柏木和核桃木；樟木、楠木、樺木與梨木亦有所採用，但數量較少。取用藏區當地木材製作家具的原因並不難理解，主要是以下兩點：一、藏區路況不佳，導致交通不便，不利於從別處運送木料到藏區，不敷成本。二、西藏東南部就有豐富的森林資源，就地取材方便。早期藏式家具的彩繪本來不多，家具所用材質的優劣也是評判其價值高低的標準之一；然由於優質木材有限，多數藏式家具只能選用數量較多的劣質木材，因此在家具表面進行彩繪就成為掩蓋缺點的解決方案。此趨勢逐漸影響藏人將家具美感重點放在彩繪上，因此今日評判藏式家具檔次高低的標準往往著重於雕飾彩繪，而非木料優劣。

·杉木

藏族傳統的木雕工具較為簡單，以人工

操作為主。藏區出產的杉木材質密度較小，屬軟質木材，傳統木工器具容易掌控；但由於杉木木質鬆軟，容易腐朽，表面需做防腐處理，彩繪不僅有助防腐且兼具美感，因此杉木材質的藏式家具多具彩繪裝飾。

·松木

松木的硬度屬中等，膠結性佳，易於上色，加工亦易，是很好的家具木料。在西藏西南部一帶，如波密、察隅、墨脫等地區，平均海拔稍低，約 2500 公尺左右，雨量較多，光照度足，因此有大面積的雲南松林（別名青松、飛松、長毛松），當地居民普遍採用松木製作家具。以產自察隅的雲南松為例，當地樹齡 130 年的松樹，平均樹徑超過 70 公分，樹高可達 50 公尺；而在東北小興安嶺地區，即使樹齡 200 年的松樹，其均高一般不超過 30 公尺。

·柏木

藏區的柏木種類頗多，柏木林一般多在海拔 4000 公尺以上（少數亦有生長於海拔 3000 公尺者），以方枝柏占比較多，柏木製作的藏式家具多用此類樹種。西藏林芝地區的柏樹高度可越 60 公尺，樹徑可超過 4 公尺。柏木木質細膩，花紋美觀，硬度中等，不易腐蝕，是製作家具的上等材料。但柏木林生長地帶的海拔較高，取材不易，導致柏木家具的數量相對少，且價位高，一般民宅較少採用，大多見於寺院。

·核桃木

核桃木的花紋獨特，經打磨後能顯現如硬木般的光澤。核桃木心材顏色由淺褐色到棕褐色，有時帶斑點或條紋；邊材顏色多呈灰白色或淺褐色，顏色較淺。核桃木的樹根和瘤瘤削薄後帶有特異花紋，是很好的裝飾材料，頗受藏人喜愛。但由於核桃木質地較硬，不利上色與加工；加上核桃樹林在藏區占比小，木料來源有限，因此核桃木製作的藏式家具一直不是主流產品。傳統上評斷藏式家具原本就未將材質放在首位，重點多在家具的雕繪裝飾，且核桃木本身並非珍稀木料，因此核桃木藏式家具的價值未必屬於高位。

於此順便一提清代從藏區進貢給皇帝的「札古札雅木碗」：「札古」是藏語「核桃樹」（star ka）的音譯，「札雅」則為藏語「樹瘤」（rdzab ya）一詞的音譯，藏人傳統上認為以核桃樹瘤作為容器盛裝飲食可防偏癱和心血管疾病，由於稀少珍貴，因此多由貴族或高僧使用，亦進貢於宮廷；可能意譯其名未能文雅，故清宮採用音譯。依樹瘤成形的節齡長短，所製木碗紋路可分牛肝紋、豬鬃紋、鷗羽紋、火焰紋等四類，其中以呈火焰紋的樹瘤節齡最老，所成木碗亦最名貴。札古札雅木碗一般為侈口、弧腹、薄碗壁、拱壁足底，亦有鑲銀邊者。自康熙朝起，每逢初春，西藏向清廷進獻樹瘤碗以賀春喜，成為慣例。乾隆皇帝御製詩中，為札古札雅木碗題寫的詩就達八首之多，可見他對此類木碗的喜愛。

製作的輔材

由於青藏高原的氣候特性，加上蟲害蛀蝕，易使木材腐朽損傷，因此藏式家具傳統上會採用一些輔助材料來防腐防蛀，從而達到美化及保護的作用。藏式家具的傳統輔材主要有桐油、批土和布料。

・桐油

桐油能在木材表面形成一層保護膜，可防蟲防腐，廣泛使用於木製家具上。桐油分生桐油和熟桐油，家具表面一般塗刷的是熟桐油，給家具上桐油不是以刷子塗刷，而是用布擦拭。桐油具防水功能，因此亦可保護家具表面的彩繪。

・批土

為將家具表面縫隙填平，一般使用批土。批土是用桐油加上藏地的一種灰黏土調配而成，攪拌至灰色無油狀態即可使用。好的批土不會收縮，乾燥後依舊維持原樣。

・布料

近代製作藏式家具時，有些會在進行大面積彩繪的地方貼上布料，主要因為木材價格上漲，整塊木料的價格更高，因此出現先用小塊板材拼接，然後貼上布料的工藝，用以降低成本。拼成整板後，用膠將白布平貼於板上，晾乾後先行打底再進行彩繪。較老的藏式家具是用整塊板面製作，沒有接縫，故無有此道工序。因此是否有貼上布料為彩繪打底，可作為判斷藏式家具年代的參考依據。

家具種類

藏式家具的使用環境大致可分寺院與民居兩類，民居又可分牧民與農民兩類。牧民因居處不定，其使用家具以輕便耐用為考量，正式的木造家具不多；寺院內所使用的家具與一般民居的家具陳設差異不大，只是使用材質與彩繪內容的不同。

傳統藏族居室內擺放的家具主要是藏櫃、藏桌和藏床；過去藏箱也是藏人日常使用的家具之一，但現代家庭較少使用：

・藏箱

藏箱在過去多是牧民使用，其裝飾不多，以耐用為主要考量；定居生活的藏族家舍也使用藏箱，與牧區藏箱不同之處是側邊沒有鎖扣，更著重於箱面的彩繪和鑲嵌。由於時代的變遷，藏箱逐漸被藏櫃取代。

與家具的彩繪狀況類似，早期藏箱採用大幅板材製作，直接於箱板上彩繪；近代製作的藏箱多是拼接板材，表面不平，需在箱板上先黏貼一層麻布，再於麻布上進行彩繪。有些藏箱上還鑲嵌獸皮、金屬、寶石等，更顯華麗。

・藏櫃

藏櫃大多是藏族家中尺寸最大的家具，用來存放食物、日常用品或宗教用品等。一般不是太高，頂層可當桌子使用，藏族家庭多使用小佛龕，將其放在藏櫃上，便於禮佛，因此藏櫃的高度大多不高。藏櫃分兩種，一種是成對擺放，置於居室中顯眼處，藏語稱為「恰崗」，

此類藏櫃的出現時間較早；另一種是櫃子上端開門，可放書籍或其他雜物，稱為「比崗」，出現年代較晚。

・藏桌

藏桌在藏人家戶內出現較早，其結構和造型頗多。一種放在座席（卡墊）的前面，與床平行，高度約 40-50 公分，較為低矮，主要用於吃飯、喝茶等日常活動。多數茶桌都裝飾華麗，充分展現西藏傳統雕繪的藝術水準。

藏族居室中尚有一種藏桌，裝飾不如主桌華麗，尺寸也較小，一般放在角落，用以填充室內空間，上置糌粑盒等日常用品。

・藏床

藏族居室中的床，既是坐具又是臥具。過去一般藏族家中沒有床鋪，也沒有椅凳，僅在主室內靠窗一側沿牆擺放一圈稱為「卡墊」的鋪墊，形成馬蹄形或直角形，上鋪藏毯。白天當作座墊，晚上當作床鋪。在其間放張藏桌，供家人吃飯和飲茶用。

圖案

藏族家舍內的佛龕多雕有雙龍戲珠或金翅鳥啣龍，或是七珍八寶等吉祥圖案，多與宗教題材相關。雕飾往往兼具彩繪，甚或貼金、描金等工藝。

家具著色一般可分兩類：施彩及彩繪。施彩是對家具及雕飾部位進行美化，也就是對雕刻圖案進行著色加工；彩繪則是以繪畫工藝對家具平面施以裝飾。藏式木雕家具有一套成熟的裝飾紋樣，按題材可分為抽象紋樣、動植物紋樣、文字和宗教故事等內容。常見的抽象紋樣有鋸齒紋、月牙紋、花朵紋、蔓草紋，乃至雲紋、水紋、渦紋等。動植物紋樣中常見的有蓮花、鹿、犬、馬、鳥、猴、羊、龜、獅、虎、鼠、象等，圖案題材中的八寶、和氣四瑞圖、祥鹿法輪、財神牽象、大鵬金翅、七政、犛牛、十相自在等都是宗教背景的常見吉祥圖案紋飾。

藏族木雕工匠在對圖案結構進行安排時，充分考慮角距、邊距、軸心、切割線、對角線等形式因素，依照藏族傳統美學法則，按比例、尺度、方向、寬窄等關係作排列組合，使得單純或複合型的紋樣都能表現出其完整性。總之，藏式家具的紋飾在結構處理上是形式多樣卻不雜亂，色彩華麗但不落俗套。

雪獅木箱

Snow Lion Wooden Box

140 x 78 x 53 cm

明代 15 世紀
15th Century, Ming Dynasty

木質彩繪
Wooden Painted

國內私人收藏
Private Collection

西藏皮箱
Tibetan Leather Box

21 x 13 x 18 cm

明代 15 世紀
15th Century, Ming Dynasty

犛牛皮彩繪
Yak leather painted

國內私人收藏
Private Collection

藏式木箱
Tibetan Style Wooden Box

29.5 x 19.5 x 28.5 cm

清代晚期
Late Qing Dynasty

木質彩繪
Wooden Painted

國內私人收藏
Private Collection

飛天觀音花繪箱

Feitien Kuanyin Flower Painted Box

123 x 45 x 66 cm

明代 16 世紀
16th Century, Ming Dynasty

木質包犛牛皮彩繪
Wood covered with Yak skin painted

| 國內私人收藏
| Private Collection

藏式儲櫃
Tibetan Style Cabinet

85 x 50 x 120 cm

17 世紀清代
17th Century, Qing Dynasty

木質彩繪
Wooden Painted

國內私人收藏
Private Collection

彩繪箱
Color Painted Box

77 x 35 x 40 cm

清代 18 世紀
18th Century, Qing Dynasty

木質彩繪
Wooden Painted

國內私人收藏
Private Collection

藏式櫥櫃

Tibetan Style Cabinet

88 x 44 x 93 cm

清代晚期
Late Qing Dynasty

木質彩繪
Wooden Painted

國內私人收藏
Private Collection

藏式櫥櫃
Tibetan Style Cabinet

95.5 x 40 x 43 cm

清代晚期
Late Qing Dynasty

木質彩繪
Wooden Painted

國內私人收藏
Private Collection

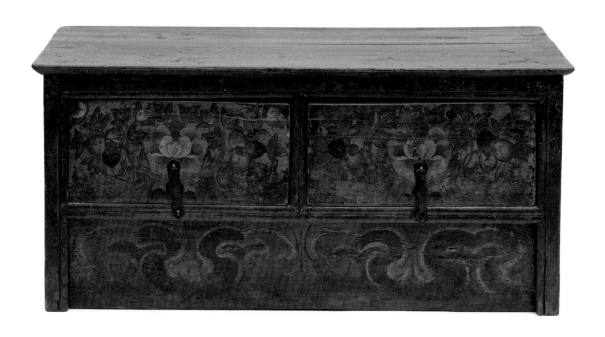

西藏橫式櫃

Tibetan Horizontal Cabinet

226 x 90 x 48 cm

清代
Qing Dynasty

潘思源先生私人收藏
SY ZUAN PAN Private Collection

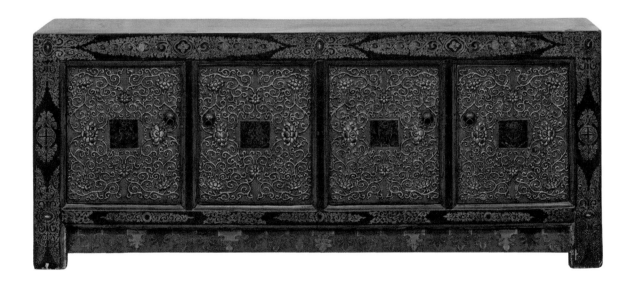

藏式儲櫃
Tibetan Style Cabinet

105 x 143 x 51 cm

清代
Qing Dynasty

潘思源先生私人收藏
SY ZUAN PAN Private Collection

藏式櫥櫃
Tibetan Style Cabinet

120 x 114 x 45 cm

清代
Qing Dynasty

潘思源先生私人收藏
SY ZUAN PAN Private Collection

哈香（漢地和尚）跳神面具
Hashang Mask

近代
Modern

木 / 布料
Wood / Cloth

蒙藏文化中心 典藏
Mongolian & Tibetan Cultural Center Collection

阿雜日（印度僧）跳神面具
Acara Mask

近代
Modern

木 / 布料
Wood / Cloth

蒙藏文化中心 典藏
Mongolian & Tibetan Cultural Center Collection

長喇叭
Long Trumpet

123 - 306 cm

近代
Modern

銅
Copper

蒙藏文化中心 典藏
Mongolian & Tibetan Cultural Center Collection

龍頭琴
Dragon-headed Dra-nyen

50 x 41 cm

近代
Modern

木
Wood

蒙藏文化中心 典藏
Mongolian & Tibetan Cultural Center Collection

扎聶
Dra-nyen

101 x 21 x 14 cm

近代
Modern

木
Wood

蒙藏文化中心 典藏
Mongolian & Tibetan Cultural Center Collection

茶壺
Teapot

27.5 x 17.5 x 25.5 cm

火爐
Stove

26 x 29.5 cm

近代
Modern

銅
Copper

蒙藏文化中心 典藏
Mongolian & Tibetan Cultural Center Collection

酥油茶桶
Tibetan Butter Tea Churner

15.5 x 92 cm

近代
Modern

木 / 金屬
Wood / Metal

蒙藏文化中心 典藏
Mongolian & Tibetan Cultural Center Collection

犛牛頭骨
Yak Head-bone

73 x 67 x 16 cm

近代
Modern

動物骨骼
Animal Bone

蒙藏文化中心 典藏
Mongolian & Tibetan Cultural Center Collection

火鐮刀
Fire Spark Knife

打火鐮皮袋
Fire Spark with leather cover

近代
Modern

金屬 / 皮
Metal / Leather

蒙藏文化中心 典藏
Mongolian & Tibetan Cultural Center Collection

14 x 3.5 cm

21.5 x 7.5 cm

藏刀

Tibetan Knife

近代
Modern

金屬 / 木
Metal / Wood

蒙藏文化中心 典藏
Mongolian & Tibetan Cultural Center Collection

21.5 x 2.5 cm   26 x 2 cm

特別感謝
Special Thanks to

財團法人台北市雙清文教基金會 Hung's Arts Foundation

潘思源董事長 Mr. SY ZUAN PAN

振樂堂 張雷庭先生 T.S. ANTIQUES AND ART

全德佛教事業機構 Chuan-der Buddhist Institute

長河藝術博物館 黃英峰先生 Evergrand Art Museum, Mr. Huang Ying Feng

林國基先生 Mr. Goji Lin

曾逢景先生 Mr. Quixote Tseng

財團法人蒙藏基金會 Mongolian & Tibetan Foundation

國家圖書館出版品預行編目資料

《智慧之神 - 相遇在燃燈節》/ 文化部，蒙藏文化中心編輯

臺北市：文化部，民 111

168 面；21.6X30.3 公分

ISBN 978-986-532-769-9　　　　　（精裝）

《智慧之神 - 相遇在燃燈節》

發 行 人	李永得
發 行 者	文化部
地　　址	新北市新莊區中平路 439 號南棟 13 樓
電　　話	(02)2356-6454
網　　址	http://www.moc.gov.tw
編 輯 者	文化部蒙藏文化中心
主　　編	高玉珍
顧　　問	劉國威、張宏實
執 行 編 輯	楊婷媜、陳雅芳、徐淑美、陳婷芳、劉維真、索南倫珠
印 刷 者	平面藝術文具印刷有限公司
	地址 新北市中和區橋和路 115 號 7 樓
	電話 02-8245-5275
	電子信箱 pmes.pmes@msa.hinet.net
出 版 日 期	2022 年 12 月
I S B N	978-986-532-769-9
印 製 數 量	760 本
定　　價	新臺幣 500 元